EPISTOLARIO II

OBRAS DE FEDERICO GARCÍA LORCA

Títulos publicados

1

Primer romancero gitano

1924-1927

Otros romances del teatro

1924-1935

2

Yerma

Poema trágico

3

Diván del Tamarit

1931-1935

Llanto por Ignacio Sánchez Mejías

1934

Sonetos

1924-1936

4

La casa de Bernarda Alba

5

Primeras canciones

Seis poemas galegos

Poemas sueltos

Canciones populares antiguas

6

Canciones

1921-1924

7

La zapatera prodigiosa

8

Poema del cante jondo

9

Epistolario, I

10

Epistolario, II

FEDERICO GARCÍA LORCA

EPISTOLARIO, II

Introducción, edición y notas de
Christopher Maurer

ALIANZA EDITORIAL

Dibujo de la cubierta: carta a Jorge Zalamea
(pág. 115 de este volumen)

ISBN: 84-206-6110-4 (T. II)
ISBN: 84-206-6199-6 (O. C.)
Depósito legal: M. 41.060 - 1982
Compuesto en Fernández Ciudad, S. L.
Impreso en Closas-Orcoyen, S. L. Polígono Igarsa
Paracuellos del Jarama (Madrid)
Printed in Spain

INDICE

INTRODUCCION

Es curioso, ante todo, que las cartas de Federico García Lorca hayan entrado a formar parte de sus obras completas. No digo que hayan formado parte de tal o cual edición, sino del canon, al lado de poemas, conferencias y teatro, formando un género más. Así solían estamparse las obras de poetas renacentistas —Garcilaso, Boscán, Figueroa—, cuyas epístolas, ya en tercetos o ya en verso libre, recogen asuntos poetizados ya por Horacio: el arte poética, la vida literaria, el contraste satírico entre la corte y la aldea, los placeres de la amistad y de la vida sencilla.

García Lorca no había olvidado el elemento didáctico de aquella tradición. En cierto modo su «Oda a Salvador Dalí» participa de ella, y en una ocasión piensa dirigir a Jorge Guillén «una epístola sobre la poesía y arte poética, que será un poema largo, *monótono,* estructurado, antidecorativo, y *latazo*». Además, quizás sin darse cuenta de ello, prolonga en ciertos momentos esa tradición de «menosprecio de corte y alabanza de aldea»: «En el campo *vivo*».

Pero tiene presentes otras tradiciones epistolares que poco o nada tienen que ver con la horaciana, y que están todavía por estudiar. A su amigo José Bello le menciona el «epistolario que el gran poeta Lamartine dirigió a su madre». Y, ¿a quién imita en aquellas primeras cartas a María del Reposo Urquía y a Adriano del Valle? Hace un gran esfuerzo al escribir estas primeras cartas. ¿No se reirán de él? Sin embargo, «Hay veces... que sentimos el ansia de escribir a una alma oculta en las lejanías y que ese alma escuche nuestro llamamiento de amistad». Federico adopta una *pose* declaradamente romántica, e incluso imagina al destinatario participando del juego: «Lea V. esta carta triste, medítela, y después estoy seguro que dirá '...pero ¡pobre muchacho!, ¡tan joven!...; al fin, poeta'!». Son los años de *Impresiones y paisajes* y de la introversión y melancolía de *Libro de poemas*: en el género epistolar, igual que en la poesía, tardará unos años más en definir su estilo. Lo que desaparecerá por completo de sus cartas es esa penosa observación de sí mismo.

* * *

Escribe Juan Ramón Jiménez, en una nota redactada probablemente para el prólogo de un epistolario suyo que proyectaba publicar:

> Me gustaría volver a ver tantas [cartas] escritas en la juventud a tantas personas esparcidas por el mundo, olvidadas en absoluto, relativamente, o muertas. Ninguna vanidad me mueve al publicar estas cartas. Es que en mí, cualquier relación —sobre todo escrita— ha tomado siem-

> pre en el acto carácter lírico o filosófico. El publicar estas cartas —o el deseo de ver las que no conservo— es sólo para ayudarme a vivir —o a morir—, especialmente [1].

Donde difiere Lorca de Juan Ramón no es en el carácter lírico de sus cartas, sino en ese deseo de verlas reunidas e impresas. Parece que, al escribirlas, nunca pensó en su futura colección y publicación. Siguen, en gran parte, esparcidas por el mundo, mientras «Juan Ramón iba dejando copias de la mayoría de las [suyas], algunas de las cuales, como él dice, no llegaron jamás a su destino debido a un arrepentimiento súbito o a un cambio de ritmo ético o estético, luz, éxtasis o dinamismo cambiante» [2].

Falta también en las cartas de García Lorca la dimensión «filosófica» que el poeta de Moguer vio en las suyas. Las cartas de Lorca no contienen, por lo general, reflexiones sobre la vida humana y sobre problemas existenciales, ni tampoco ideas abstractas sobre el arte. Falta el ensayo que se disfraza de epístola para dirigirse... a quien sea. Está casi totalmente ausente la «carta literaria» en que reaccione a libros ajenos o dé lecciones de poética o estética. Hay excepciones espléndidas: la carta donde informa a Fernández Almagro que «El mundo es una espalda de carne oscura (negra carne de mulo viejo). Y la luz está al otro lado»; la carta a Guillén en que define, con brevedad aforística, la poesía verdadera: «amor, esfuerzo y *renunciamiento.* (San Sebastián.)» Pero lo típico de García Lorca es la carta con noticias sobre su propia creación en todas sus etapas: concepción, redacción, revisión, edición. Diríase que

---

1 Véase el prólogo de Francisco Garfias a J. R. J., *Selección de Cartas (1899-1958),* Barcelona, Ediciones Picazo, 1973, p. 12.

2 *Ibid.*

buena parte de sus cartas nacen de la necesidad de compartir con alguien la alegría que le causa su arte, de día en día. Claro que no para ahí. Si afirma a Adolfo Salazar que «todos los temas más maravillosos que he visto en mi vida han llenado estos meses mi corazón bailarín», no tarda en añadir: «Por encima del pupitre en que escribo, está la Sierra nevada.» Su alegría y su afán de unirse a la persona a quien escribe se desbordan, abarcando líricamente el ambiente que le rodea a él y al destinatario. Así nacen sus pequeñas estampas de Zaragoza, Burgos, Barcelona, Buitrago, Jaén, Asquerosa, Granada, Cadaqués... De este modo, su epistolario es el diario de un creador en su ambiente vital.

Tiene, por otra parte, cierta semejanza con las conferencias y las lecturas de poesía. Quizás, como ha escrito Mario Vargas Llosa a propósito de una colección de la prosa, «lo mejor en esta colección sean los chispazos de algo que Lorca, desgraciadamente, se llevó con él: su encanto personal, esa aptitud para fascinar a la gente que todos los que le conocieron le reconocen» [3]. A esa aptitud se refiere Jorge Guillén en un «trébol»:

> *¡Ay, cartas de Federico,*
> *Gracia de fascinación*
> *En el pico, pico, pico!*

Por otra parte, las cartas de Lorca merecen atención como un aspecto de su modo peculiar de transmitir y defender a sus propios poemas. La transmisión de un poema por carta ofrece más intimidad que la lectura en público, aunque quizás menos que la lectura privada. Pero los tres modos de lectura, le ofrecen la posibilidad de saber rápidamente si la obra ha gustado.

---

[3] «Lorca, ¿un andaluz profesional?», *Cambio 16,* núm. 461 (5 octubre 1980), p. 105.

Finalmente, como ha observado ya Mario Hernández, «son cartas habladas, escritas en voz alta, como si el interlocutor estuviera delante... El coloquialismo se manifiesta en ellas de múltiples modos, signos de su función radicalmente comunicativa: prodigación de puntos suspensivos, anacolutos, grafías erróneas, como de quien escribe a vuela pluma, más preocupado por lo que dice que por la fidelidad ortográfica, signos de exclamación continuos, a veces triples, giros fundamentalmente coloquiales, dialectalismos de intención humorística o matización local, palabras o frases enteras subrayadas, etc.» [4].

* * *

Hay cartas de Lorca de un lirismo tan marcado que resulta casi imposible fecharlas. ¿De qué año puede ser la carta 2 a José María Chacón y Calvo, puro ensueño sobre el «triste marinero»? O la carta a Zalamea que empieza así:

> Ahora es la hora de visitar la bella ciudad de Granada. Todo el día ha llovido y ha chapoteado la lluvia en maíces y cristales. El Otoño ha llegado. Ya la población está animadísima. La Universidad abre sus puertas. La Alhambra y los jardines están en su justo punto poético. Dentro de cuatro días comenzarán a dorarse las hojas.

El editor del epistolario se afana por *fechar* estas palabras, o, por lo menos, insertarlas correctamente en la pequeña secuencia de cartas a Jorge Zalamea que son, seguramente, del verano y otoño de 1928. Y terminada su labor, quiere fecharlas según otros criterios. La lluvia otoñal que García Lorca describe a Zalamea es la de cualquier año y de todos los años. «*Ya* la población está animadísima»; el adverbio temporal indica compla-

---

[4] *Trece de Nieve,* 2.ª ep., 2.ª ed. (diciembre 1976), p. 36.

cencia en un futuro seguro y previsto. Al editor le ayudan, para fechar las cartas, las notas más triviales y efímeras (véase tomo I, p. 131). Pero ¡cuánto celebra, como simple lector, que no abunden!, que falten las cartas de negocios, ésas que empiezan:

> Mi querido Joaquín: Acabo de recibir 17 ejemplares de mi librillo *Voces de mi copla*: 2 que me ha enviado Heather Jiménez y 15 de ustedes. Muchas gracias... [5]

Lo cierto es que García Lorca escribió pocas cartas (como pocos poemas) *ocasionales,* y así su epistolario perdura, salvándose del ruido del tiempo. Queda excluida, de esas primeras cartas a Adriano del Valle, toda una «época odiosa y despreciable de Kaiseres y de La Ciervas (¡que se mueran!)». En cambio, al hablar de sus solitarios paseos por la Vega granadina dice: «Comprendo que todo esto es muy lírico, demasiado lírico, pero el lirismo es lo que me salvará ante la eternidad.» Y tenía razón.

Es comprensible que el García Lorca de plena madurez viera imposible sostener ese lirismo epistolar. Si lo que abunda, en los últimos años, es la carta ocasional, es, en parte, porque ni pudo ni quiso librarse de compromisos históricos y políticos.

* * *

Se han publicado pocas cartas posteriores a 1929. La correspondencia con Sebastián Gasch, con Guillén, con Fernández Almagro se corta sin explicación, o se reduce a notas lacónicas, telegramas, tarjetas cordiales. La carta típica de los últimos seis años de su vida es la de puro trámite, escrita cuando ya no hay más remedio.

---

[5] J. R. J., *Selección de Cartas, ed. cit.,* p. 192.

Aparece la carta en forma de poema jocoso (a Chacón y Calvo, a Joaquín Romero y Murube) ilustrada, a veces, con un dibujo, dádiva que compensa un poco la falta de una carta verdadera. De sus días en Argentina y en Uruguay (1933-1934) han quedado tan sólo una postal —cinco palabras de Federico— y una brevísima nota. Del año 1932 conocemos solamente siete breves comunicaciones, y del último año de su vida, 1936, tres notas. De un solo año, 1927, se han conservado 67 epístolas; pero desde enero de 1931 a julio de 1936 tenemos tan sólo 42. Parece que las últimas cartas en que García Lorca pone su «tontería lírica» son las que escribe a Carlos Morla Lynch en el verano de 1931. ¿A qué podemos atribuir su silencio posterior?

Es lógico que, al convertirse en una figura pública, Lorca lleve una vida más ajetreada y deje de disfrutar del ocio de aquellos veraneos granadinos de 1921-1928. Pero puede haber otra explicación. A principios de 1933 escribe a Miguel Hernández: «Mi querido poeta: No te he olvidado. Pero vivo mucho y la pluma de las cartas se me va de las manos.» Esas palabras, *Vivo mucho,* no aluden a vida literaria, estrenos, compromisos. Reflejan, probablemente, la necesidad de ver a la gente, de tratarla en persona, y la creciente convicción de que las epístolas siempre vienen «llenas de escarcha». La lectura seguida de su epistolario produce la impresión de que García Lorca hubiera perdido su fe en las cartas, de que hubieran dejado de interesarle como género, de que ya no disfrutara de ellas.

CHRISTOPHER MAURER

Advertencia

Cuando se cita un libro o artículo de forma abreviada en las notas, véase la referencia completa en la sección «Procedencia de las cartas» (p. 173). Las iniciales G. M. remiten a Antonio Gallego Morell, editor de un gran número de cartas lorquianas. Cuando cito de las *Obras completas* (O. C.), los números remiten al tomo y página de la 21.ª edición (Madrid: Aguilar, 1980).

Aparece la carta en forma de poema-poesía (a Chacón y Calvo, a Joaquín Romero y Marchent) ilustrada a veces con un dibujo, dádiva que compensa un poco la falta de una carta verdadera. De sus días en Argentina y en Uruguay (1933-1934) nos ha quedado tan sólo una postal —cinco palabras de Lorca— y una brevísima nota. Del año 1932 conocemos solamente siete breves comunicaciones, y del último año de su vida, 1936, tres notas. De un solo año, 1927, se han conservado 67 epístolas; pero desde enero de 1931 a julio de 1936 tenemos tan sólo 42. Parece que las últimas cartas en que García Lorca pone su «entereza lírica» son las que escribe a Carlos Morla Lynch en el verano de 1931. ¿A qué hemos de atribuir su silencio posterior?

Es lógico que, al convertirse en una figura pública, Lorca lleve una vida más ajetreada y deje de disfrutar del ocio de aquellos veranos granadinos de 1924-1928. Pero puede haber otra explicación. A principios de 1933 escribe a Miguel Hernández: «Mi querido poeta: No te he olvidado. Pero vivo mucho y la pluma de las cartas se me va de las manos.» Esas palabras, Vivo mucho, no aluden a vida interna intensa, siempre otros factores: probablemente la necesidad de huir a la gente, de refugiarse en sí mismo, y la creciente convicción de que las epístolas siempre serían fichas de su archivo. La lectura rápida de su epistolario produce la impresión de que García Lorca hubiera perdido su fe en las cartas, de que éstas hubieran dejado de interesarle como género, o de que ya no disfrutara de ellas.

CHRISTOPHER MAURER

Advertencia

Cuando se cita un libro o artículo de forma abreviada en las notas, véase la referencia completa en la sección «Procedencia de las cartas» (p. 17). Las siglas C. M. remiten al Archivo Gallego Morell, editor de un gran número de cartas lorquianas. Cuando cito de las Obras completas (O. C.), los números remiten al tomo y página de la 21.ª edición (Madrid, Aguilar, 1980).

A Ana María Dalí (6)

[Tarjeta postal: Alhambra]

[Navidad de 1926]

Señorita Ana María Dalí (Monturiol, 24). Figueras. Prov. de Gerona.

Querida amiga Ana Maric: Con motivo de la fiesta de Navidad te envío mi más afectuoso saludo en esta andalucísima «Torre de las Damas». El *decembre congelat* está siendo lluvioso para Granada. ¿No te mareaste en el aereoplanito [*sic*]. Sobre las nubes y bajo las nubes siempre te recuerda

Federico

(que no está enterrado)

Saluda respetuosamente a tus padres.

A Guillermo de Torre (1)

[Granada, enero 1927]

[Dibujo de un frutero con dedicatoria:]

1.9.2.7.

Felicidad a Norah Borges. Federico García Lorca.

Querido Guillermito:

Un abrazo muy grande de año nuevo. Dentro de pocas semanas tendré el gusto de charlar contigo.

Mi enhorabuena por esa *Gaceta Literaria* que espero me enviaréis y por tu precioso ensayo de poesía argentina *.

Entre el núcleo joven de Granada ha tenido un gran éxito. Y una *repulla* entre los «putrefactos». Como debe ser.

Espero que tendré algunas noticias tuyas en esta deliciosa zarzuela oriental de Granada.

Falla y yo proyectamos una nueva salida del teatro de Cachiporra que pudiera tener importancia.

Adiós, querido Guillermo, recibe el mejor abrazo de tu camarada y compañero de *tribuna*

FEDERICO

[Dibujo de música y clarinete con dedicatoria:] Felicidad a Guillermo de Torre.

* Se refiere Lorca al artículo de Guillermo de Torre, «Veinte años más cinco de poesía argentina», *La Gaceta Literaria,* 1 enero 1927, p. 4.

A José María de Cossío (1)

[Dibujo: cesto de fruta, copas con la dedicatoria:]

[enero de] 1.9.2.7. *

Querido Cossío: Perdón por mi tardanza. En Granada decimos «tarde pero a tiempo». ¿Llego en hora propicia? Sin contestarle me acordaba de usted, querido primo, todos los días. Ahora lo olvido por completo hasta que vuelva a escribirme. ¿Me escribirá? Estos días trabajo mucho. Dentro de poco recibirá mi libro de Canciones. Yo pienso enviarle un libro para su biblioteca que lleva dibujos míos.

Su libro de los toros estoy seguro que será delicioso. ¿Por qué no hacemos ahora el de los *crímenes*? Hay en los romances españoles una colección admirable. Sobre todo en la parte musical. En el cancionero de Salamanca existen crímenes populares con una emoción maravillosa. Yo en Granada tengo varias preciosidades. ¿Va usted a poner melodías en su libro ilustrando los romances? Sería precioso. El romance de Pepe Hillo tiene música en diversas variantes. El romance del toro de Matilla de los Caños es magnífico, y últimamente en el siglo pasado se hicieron varias melodías taurinas en Málaga de un sabor andaluz verdaderamente emocionante. Cuénteme.

Mis dos romances los escribo ahora mismo. El primero de Antoñito el Camborio ha salido con enormes erratas en *Litoral* —admirable revista de Málaga—. Por eso repito aquí la imagen del torero. El de Mariana Pineda va íntegro. He puesto un Cayetano ¡que no sé quién es!... ni me importa ¡pero es tan precioso nombre!

[Dibujo de un torero con la dedicatoria:] A José María Cossío. Federico García Lorca 1927

Yo espero que usted no me guardará rencor por lo mal educado que he sido. Es usted demasiado amable para portarse tan mal como yo.

Espero que me escribirá y seremos amigos como siempre. Reciba un abrazo cariñoso de su amigo

FEDERICO GARCÍA LORCA

Fragmentos del romance gitano «Prendimiento de Antoñito el Camborio en el camino de Sevilla» Suplico corregir pruebas para evitar el *desastre* de *Litoral*.

Diciembre de 1926.

[siguen los fragmentos] **

De la escena tercera del «Romance popular en tres estampas y un cromo 'Mariana Pineda'».

Hecho en 1922.

Mándame pruebas.

Perdón.

[sigue el texto]

* Anterior a la publicación de *Canciones,* el 17 de mayo de 1927, y posterior a la publicación de los romances en *Litoral* (número de noviembre, 1926). Según Martín, la carta está «escrita en doble pliego azul [con] dos dibujos, una cesta con fruta y una copa, debajo de la fecha, "subrayada" por puntos. Bajo los dibujos se lee: "José María de Cossío" y "Federico García Lorca 1927", respectivamente». Por los dibujos semejantes que aparecen en las cartas a Guillermo de Torre, a Fernández Almagro, y a Jorge Guillén, puede fecharse esta carta a finales de diciembre de 1926 o en enero de 1927.

** Martín no recoge el texto de los romances que Lorca manda a Cossío. Fueron publicados en *Los toros en la poesía castellana,* Madrid, 1931, tomo I (pp. 335-6) y tomo II (pp. 371-4).

A Jorge Guillén (14)

[Granada, enero 1927] *

[1.ª página. Dibujo de una copa y un cesto de fruta con dedicatoria:]

1.9.2.7.

TERESITA
CLAUDIO

Aleluya.

Querido Jorge:

[2.ª página. Dibujo de una partitura de música titulada AMOR en 1927, y de un clarinete. La dedicatoria dice:]

Jorge.

Un abrazo muy grande para ti y los tuyos en el año de 1927. Son muchas las cosas que tengo que decirte. Estoy dispuesto a dar mi cuota para *Verso y Prosa.* Encantado. Y ya tengo varias suscripciones. Pero mandaros algo no puedo. Más adelante. Y desde luego, no serán romances gitanos. Me va molestando un poco *mi mito* de gitanería. Confunden mi vida y mi carácter. No quiero, de ninguna manera. Los gitanos son un tema. Y nada más. Yo podía ser lo mismo poeta de agujas de coser o de paisajes hidráulicos. Además el gitanismo me da un tono de incultura, de falta de educación y de *poeta salvaje* que tú sabes bien no soy. No quiero que me encasillen. Siento que me van echando cadenas. NO (como diría Ors).

* * *

Habrás recibido *Litoral.* Una preciosidad, ¿verdad? Pero ¿has visto qué horror mis Romances?

Tenían más de *¡diez!* enormes erratas, y estaban completamente deshechos. Sobre todo el del Antonito el

Camborio. ¡Qué dolor tan grande me ha producido, querido Jorge, verlos rotos, maltrechos, sin esa *dureza* y esa *gracia* de pedernal que a mí me parece que tienen! Emilio quedó en mandarme pruebas y no lo hizo. La mañana que recibí la revista estuve llorando, así como suena, *llorando* de lástima. Puse un telegrama a Prados y éste se ha disgustado, y echa la culpa a mis originales imposibles etc. etc. Pero él, que me conoce, debía saber esto. Hoy mismo recibo todos mis originales con una *lacónica* carta rogándome los *corrija* y ponga en limpio... pero lo curioso del caso es que están copiados a máquina. Esto casi equivale a decirme que no quiere publicarlos. No sé si le pasará el *ataque*. Yo me dirijo a él en este momento como a un editor. Porque, aunque sea el libro de Canciones, quiero editarlo. Además no es *gitano*. Espero que todo se arreglará. Después de todo, si yo intento publicar es por dar gusto a unos cuantos amigos, y nada más. A mí no me interesa *ver muertos* definitivamente mis poemas... quiero decir publicados.

Tus poemas de *Litoral*, que ya conocía, prodigiosos. Cada vez se me adentra más tu poesía limpia, hermosa (eso es) Hermosa, llena de una emoción divina, completamente *conocida* pero intacta. Ya te recitaré *de memoria* tus décimas. Aquí las recito a mis amigos y se *conmueven*. Protesto de ese *cerebralismo* excesivo que te achachan. Hay una fragancia natural tan extraordinaria en tu poesía, que, *bien sentida*, puede tener hasta don de lágrimas. Yo quisiera poderte expresar toda la admiración que te tengo. *Unica* admiración *redonda* que venero [tachado: «que tengo»] entre toda la joven literatura.

[Dibujo de un pierrot y una fuente con dedicatoria:] 1.9.2.7. Germaine

Ahora mismo recibo un telegrama de Emilio en el que me pregunta qué [si] voy *al fin* a publicar mis Canciones. En seguida le digo Sí (en el tono de Ors).

Este libro me gusta. Te lo dedico a ti, a Salinas, y a Melchorito, aunque a Melchorito no debía dedicarle nada por esa *silueta* grotesca y granadina falsa del Federico de «Impresiones y paisajes» que ha hecho en vuestro *Verso y Prosa*.

En ese libro van los poemas de Teresita.

Un libro de amigos. Son 70 canciones desde 1921 a 1923. Creo que ya están depuradas. Anoche las leí todas a mi hermano. Tienen una buena atmósfera lírica. Entre ellas hay un *retrato* de Juan Ramón que empieza así

En el blanco infinito
Nieve, nardo y salina,
perdió su fantasía.

He suprimido algunas canciones rítmicas a pesar de su éxito porque así lo quería la Claridad. Quedan las canciones ceñidas a mi cuerpo y yo *dueño* del libro. Mal poeta... ¡muy bien! pero dueño de su mala poesía.

¿Cuándo te voy a ver, querido Jorge? Ahora tengo varios proyectos líricos, pero no sé a cual de ellos hincarle el diente. El día que nos veamos será un gran día de *lecturas*.

Saluda con todo cariño a Juan Guerrero, al que debemos todos los poetas de España agradecimiento, y dile que cuando escriba algo del poema que proyecto se lo enviaré para su revista.

A Germaine mi afecto más puro, y a los niños muchos besos.

Adiós. Escríbeme en seguida y no te *faltes* conmigo. No me prives del regalo de tus poemas y de tu amistad. Un abrazo (he procurado animar la carta con dibujos).

FEDERICO

[Dibujo de dos limones]

* Lorca contesta la carta de Guillén del 3 de enero de 1927 (Guillén, *op. cit.*, p. 113). Los dibujos están reproducidos en J. Guillén, *Federico in persona. Carteggio* (Milano: All'insegna delle pesce d'oro, 1960) entre pp. 156-57 y en *Trece de Nieve* 1/2, Segunda Epoca, diciembre 1976, páginas 4, 31 y 103.

A Melchor Fernández Almagro (35)

[Membrete:] Ateneo de Granada.

[Granada, fines de 1926 o principios de 1927]

Querido Melchorito:

Recibí tu carta. Estos días me aburro de una manera terrible en Granada y tengo el desconsuelo de que no me guste mi obra lo más mínimo. Todo me parece lamentable en mi poesía. Encuentro que no *he expresado* ni puedo *expresar* mi pensamiento. Hallo calidades turbias donde debiera haber luz fija y encuentro en todo una dolorosa ausencia de mi *propia* y *verdadera* persona. Así estoy. Necesito irme muy lejos.

Tú dirás que esto es un *ataque,* pero ataque y todo es significativo.

Esperamos a Paquito [García Lorca] con gran alegría por parte de todos.

Si yo tuviera algún *pretexto serio* iría a Madrid. Si no, me quedo aquí hasta Dios sabe cuándo.

Adiós, Melchorito, abrazos cariñosos de

FEDERICO

Contéstame en seguida y dime algo de Mariana, que es el único pretexto de viaje. ¿Hablaste con Marquina?

* Posterior a la carta de finales de octubre de 1926 en que Lorca pide a M. F. A. que hable con Marquina. En cambio, es anterior a la carta 38, en que Fernández Almagro le asegura que *Mariana Pineda* se representará (véase la nota a la carta 38).

A Melchor Fernández Almagro (36)

[Dibujo: cesto de fruta]

[Granada, enero 1927]
1.9.2.7.

Queridísimo Melchorito:

Como siempre te mando mi abrazo más alegre y cariñoso. Pronto recibirás mi primer libro. Dedicado a ti, a Salinas y Guillén. Mis tres debilidades.

Quiero ir a Madrid para ver si arreglo lo de Mariana Pineda. No me gusta nada la obra; tú lo sabes. Pero ahora es el único pretexto serio que tengo para ir a Madrid. ¿Quieres tú escribirme una carta en la que me digas es necesaria mi marcha y conveniente? Esto no es mentira. Yo debo ir, ¿verdad? Hazlo así... si quieres. No te lo exijo.

Mis libros ya van a salir. Para muchos serán una sorpresa. Ha circulado *demasiado* mi tópico de gitanismo, y este libro de Canciones, por ejemplo, es un esfuerzo lírico sereno, agudo, y me parece de gran poesía (en el sentido de nobleza y calidad, no de *valor*). No es un libro *gitanístico*. Estoy contento. He suprimido las canciones rítmicas a pesar de su éxito, porque quiero que todo tenga un aire alto de montaña.

Yo espero que te gustará. Lleva en la portada la constelación Lyra, tal como está en los mapas astronómicos. No digas nada a nadie hasta que el libro esté en la calle. Es mejor... tal como está mi *mito* de publicaciones.

Melchorito: el Federico de «Impresiones y paisajes» de tu graciosa silueta, ¿verdad que no es éste que te ha dibujado el cesto de fruta? No. Me parece que te has acordado demasiado del 1918 *.

Adiós. Recibe un abrazo muy apretado de tu siempre

FEDERICO

Escríbeme en seguida. Adiós, zorro.

[Dibujo: dos limones]

* La «graciosa silueta» de Federico que M. F. A. publicó en *Verso y Prosa* forma parte de una «Nómina incompleta de la joven literatura», año I, núm. 1 (enero, 1927).

A Melchor Fernández Almagro (37)

Madrid 27 de Enero de 1927

Sr. Dn. Melchor F. Almagro

Muy Sr. nuestro:

Próxima la fecha —24 de Mayo del año actual— del tercer centenario de la muerte de Góngora, nos hemos reunido para organizar un homenaje en honor del gran poeta. Además de editar su obra lírica, se publicarán varios volúmenes, uno de prosa, otro de poesía, y otros de música y artes plásticas, con trabajos inéditos dedicados a Góngora. Nos dirigimos a Vd. para que, si el homenaje le parece simpático, nos honre con su colaboración, enviándonos algo de lo que más estime.

La Editorial de la Revista de Occidente se ha comprometido a publicar los tomos de este homenaje.

Con objeto de prepararlo todo puntualmente, la premura del tiempo nos exige poner como límite a la entrega de los trabajos el 1.º de Marzo. Esperamos también su conformidad, a ser posible en el plazo de diez días, para poder dar su nombre en la lista de colaboradores y hacer la distribución del tomo. Si su aportación es poética, musical o plástica, no hace falta que aluda a temas gongorinos.

Sus affmos.

JORGE GUILLÉN	GERARDO DIEGO
PEDRO SALINAS	FEDERICO GARCÍA LORCA *
DÁMASO ALONSO	RAFAEL ALBERTI

P.S.—Su trabajo puede enviarlo a nombre de *Rafael Alberti, Lagasca, 101.*

* El nombre ha sido firmado por otra persona.

A Melchor Fernández Almagro (38)

[Granada, fines de enero 1927] *

Queridísimo Melchor: He leído que pasas de *La Epoca* a *La Voz*. ¿Te doy la enhorabuena? No sé en qué condiciones habrás hecho *traspaso* de la tienda de tu talento, pero el periódico me gusta más. Antes ninguno podíamos leer tus crónicas, y ahora tendremos el gusto de saborearlas. Y desde luego serán más eficaces. Aquí la gentuza de Granada ha comentado esto como *un triunfo* tuyo. El putrefacto [Martínez] Lumbreras ha movido en tu honor su boca de culo. Has llegado, has luchado y has vencido. La gente dice también: «Dentro de *ná* ese niño le da la *patá* a Fabián Vidal, y lo tenemos amo de *La Voz.*» Estos gallegos-judíos de Granada son lo peor del mundo.

Yo quiero marchar en seguida, pero mi familia le tiene miedo a la gripe. ¿No crees tú que esto ha pasado ya?

Desde luego, tengo la seguridad de que la Xirgu no pone la *ya famosa* Mariana. Porque no he recibido de ella la más leve noticia. ¿No te parece esto un poco raro? Porque si quiere estrenarla ya debía dar señales de vida. Si tú la ves por casualidad pregúntale otra vez.

No te olvides de contestarme en una carta larga a las cosas que te digo y pregunto. Cada día me escribes las cartas más cortas, y eso es que ya no me quieres casi nada.

Adiós, Melchorito. Recibe un abrazo de

FEDERICO

* Anterior al 2 de febrero de 1927, fecha de la respuesta de M. F. A., publicada en Antonina Rodrigo, *op. cit.*, p. 84. El primer artículo de M. F. A. en *La Voz* (cuyo director era el granadino Enrique Fajardo, *alias* Fabián Vidal) parece haber sido una reseña de *Julieta compra un hijo* del olvidado Honorio Maura, el 3 de febrero de 1927.

A José Bergamín (1)

[Dibujo: frutero con naranjas]

[febrero, 1927] *

Querido Bergamín: Hace ya muchos meses que debí haberte escrito. Y no lo he hecho por la sencilla razón de que te recordaba constantemente. Me era difícil romper ese silencioso velo que la ausencia levanta entre las personas, donde el recuerdo estiliza de una manera perfecta apretones de manos y sonrisas de ayer.

Descansaba en tu amistad segura y esto me bastaba. Hoy, además de saludarte cariñosamente, tengo que *pedirte un favor*. No te asustes.

Los muchachos de Granada (entre los que hay dos positivas *sorpresas* y uno de ellos un novelista) van a hacer un suplemento literario al *Defensor de Granada* titulado *El gallo del Defensor,* y es el deseo de todos que colabores en esta hoja. Falla ha escrito ya un precioso artículo para el primer número y es necesario que tú escribas o mandes un trabajo tuyo con toda premura. La hoja *no sale* sin tu firma.

Tú eres hoy uno de los *cariños* más grandes de los jóvenes andaluces y es preciso que seas bondadoso con ellos.

El *gallo* va ornamentado por Dalí, y en él harán, como te digo, sus primeros ensayos dos personas nuevas en las que tengo absoluta fe, un poeta y un *novelista.* Dentro de tres años recordarás esto que te digo ahora. ¿Por qué no haces unos «aforismos de encargo sobre el gallo sultán»? La plasticidad de tu talento va muy bien con el tema. El gallo es un tema fino, un tema de madrugada, que no puede ponerse viejo nunca. El instinto del gallo es tan agudo y perfecto que llega a convertirse en mecánico. Pon un gallo sultán encima de tu mesa de escritor (casi, casi como un caballo andaluz). Y si su cola acerada recuerda la fanfarronería española, en cambio su pecho puro irrumpe aguas y tierras todavía no pisadas, mientras su canto pone un cohete inteligente de luz oscura en la tonta modorra de las gentes.

Te esperamos. No queremos verte con una pluma en el sombrero como el cazador suizo. Queremos verte con un gallo en la mano, tan esquemático, perfecto y alegre que parezca un par de banderillas de lujo.

Anteayer leímos «don Lindo de Almería» en compañía de Luna, mi hermano y otros amigos. A mí me gustó mucho. Pero no debe llamarse «Don Lindo de Almería», sino «Don Lindo de Cádiz». Tiene todo el ballet un delicioso aire *colonial* de litoral gaditano. Es necesario recordar irónicamente el ritmo de la habanera para comprenderlo. Almería tiene una aspereza y un polvo azafranado de Argel que no sienta bien con los rasgos de *sainete* último que tan bien has dibujado. Cádiz, en cambio, puede agrandar sus papagayos y palmas hasta donde diga «basta» el siglo XVII. La plasticidad del ballet es magnífica. Pero la música que necesita, a mi juicio, es una música sin *meollo.* Una música *exterior* como una nuez dorada y vacía.

Música para los ojos, con esos golpes de timbal que nos resuena vagamente en los riñones. A mí me ha divertido extraordinariamente el hiperbólico papagayo, clavel y San Antonio, y me complazco diciéndotelo.

Adiós. Venga pronto ese trabajo.

Recibe un abrazo cordial y andaluz de tu amigo

FEDERICO

T/c. Acera del Casino, 31.

Pronto te veré en Madrid.

A ver si este año nos reunimos y dejas de considerarme como un *gitano,* mito que no sabes lo mucho que me perjudica y lo *falso* que es su esencia, aunque no lo parezca en su forma. Hasta pronto y escríbeme.

* Debe de ser de mediados de febrero, 1927, lo que se deduce de la comparación con la carta 15 a Guillén y la 2 a José María de Cossío. La respuesta de Bergamín (archivo de la familia García Lorca) está fechada «Febrero 1927».

A Melchor Fernández Almagro (39)

[Membrete:] Ateneo de Granada, Campillo Bajo, 1

[Granada, febrero de 1927]

Querido Melchorito: Ya recordarás que te hemos escrito en otra ocasión pidiéndote un trabajo (que sea muy bueno) para «El gallo del Defensor», suplemento literario del *Defensor*, hecho muy bien, en papel bueno y con un precioso formato. Lleva la cabecera y un estupendo gallo de Dalí, así como preciosos dibujos de toros, hechos por éste mismo. Ya tenemos un trabajo de Jarnés y unas décimas exquisitas de Guillén. Yo publico cosas, y además Falla ha escrito un artículo magnífico sobre música moderna. Queremos que el primer número salga bien. Los muchachos de aquí escriben todos. Venga tu trabajo *en seguida.* Nos hace falta, pues tú eres imprescindible. El primer número saldrá en marzo (primeros) y tu artículo tiene que *ir necesariamente.* Lo esperamos. Dile a la bella María Luisa R[oca] de Togores que mande algún poema y pregúntale si quiere tomar parte en la lista de colaboradores. Yo creo que ella, descendiente de granadinos, tendrá con nosotros esta gentileza.

Publicaremos un álbum fotográfico en el que saldremos tú y yo en aquella inolvidable barca veneciana *.

Adiós, Melchor. Ya sé que la Xirgu está *decidida.* Escríbeme en seguida dando tu parecer sobre este *gallo* y *consejos* que todos deseamos. Adiós, un abrazo fuerte de

FEDERICO

Esperamos que en *La Voz* dirás algo cuando esto salga.

Creo, querido Melchor, que esta vez saldrá en Granada un resumen de los muchachos granadinos aficionados a las letras. Esperamos toda tu colaboración. No tienes idea de las ganas que tengo de abrazarte. ¡Cuánto siento no poder hacerlo a mi regreso!

Un abrazo muy fuerte de

PACO

* Anterior al 22 de febrero, fecha de la respuesta de M. F. A. Gallego Morell (*op. cit.*, p. 38) reproduce la foto de «aquella inolvidable barca veneciana», y explica que la poetisa María Teresa Roca de Togores era hija de la marquesa de Alquibla (p. 94, nota 3).

A Jorge Guillén (15)

[Granada, mediados de febrero de 1927] *

Primera carta

Querido Jorge: Te mando estas pobres cosas. Tú *eliges* y publicas las que quieras. Cuando las hayas publicado *me las devuelves*. ¿Querrá usted hacerlo, Guerrero? Sí. Muy bien.

Son malas cosas. A veces me desespero. Veo que no sirvo para nada. Son cosas del 21. Del 21 cuando yo era niño. Alguna vez puede que yo exprese los extraordinarios dibujos *reales* que sueño. Ahora me faltan muchas cosas.

Estoy lejos.

Jorge, escríbeme. Dile a Teresita que le voy a contar el cuento de la gallinita con traje de cola y sombrero amarillo. El gallo tiene un sombrero muy grande para cuando llueve. Dile que le contaré el cuento de la rana que tocaba el piano y cantaba cuando le daban pasteles. Muchas cosas.

Adiós. Un abrazo de

FEDERICO

(último poeta del mundo pero amigo tuyo)

Segunda carta

[Dibujo: corazón atravesado por una flecha]

Querido Jorge: Los muchachos de Granada van a hacer un suplemento literario del periódico *Defensor de Granada* con el título «El gallo del Defensor». Va ilustrado por Dalí. Falla publica un artículo magnífico. Manda algo. Lo que quieras. Para el primer número. Tú ya ves las cosas que te envío.

Ahora estoy aterrado y bajo el peso de una cosa superior a mis fuerzas. Parece ser que la Xirgu va a estrenar Mariana Pineda (drama romántico). El hacer un drama romántico me gustó extraordinariamente hace tres años. Ahora lo veo como al *margen* de mi obra. No sé.

[Dibujo de un gallo que dice:] Mándame poesía o prosa. Kikirikiii

Ahora estamos muy preocupados con este gallo y queremos que salga muy bien.

Yo estoy *loco* de alegría. No digas nada a nadie. Pero mi hermano Paquito está escribiendo una novela *maravillosa,* así como suena, maravillosa. Y sin parecerse nada a mis cosas. Es delicioso. No digas nada todavía. Será una sorpresa tremenda. No me ciega el infinito amor que yo le tengo. No. Es una realidad. Como tú eres tan *mío* te cuento esto. Es un desahogo de mi alegría. Mi hermano ha estado *cohibido* por mi personalidad, ¿entiendes? A mi lado no podía brotar, porque mi ímpetu y mi arte le sobrecogían un poco. Ha sido necesario que él salga, viaje, y le den vientos contrarios en la cara. Pero ya está. El pobre se está preparando a cátedras de no sé qué en Derecho, y ganará la oposición para no dar disgusto a mis padres. El es un gran estudiante y está *protegido* por el Claustro en pleno de la Universidad. ¡Pero qué gran literato! El está llamado a superar a los actuales. Yo he estado anoche comparando su prosa y su manera con la de Salinas y Jarnés, para ponerte altos ejemplos modernos, y tiene un encanto distinto y *más claro,* más juvenil que ellos. Además, es una *novela larga* lo que hace. Una novela llena de mar Mediterráneo. Mira, ha hecho un capítulo de un concurso de belleza en los baños de Málaga, que es colosal. Esto es una de las sorpresas. El empezará a escribir en el *gallo.* Y también escribirá Enrique Gómez Arboleya, de dieciséis años, que ha escrito un cuento, «Lola y Lola», delicioso. Y escribirá el inefable niño a quien nosotros llamamos «Don Luis Pitín» cuentos de brujas de alcuza y duendes, de lo más imaginativo que darse puede, y otros más bastante aceptables.

En medio de todos, tu poesía. ¡Venga esa joya de ritmo y verso a enriquecer y a *doctorar* la revista!

Espero que *Verso y Prosa* y el *gallo* serán íntimos amigos y se querrán mucho. Vosotros le daréis *bombas* y nosotros pondremos en grandes letras, ¡Lea usted, señor, *Verso y Prosa*! Lo único que me asusta es que todo lo que digo les parece admirable, y esto no está bien.

Adiós, Jorge. Saluda a [Juan] Guerrero y condecóralo en mi nombre y en el de la revista con el escudo de Alhamar.

Un gran abrazo. Contéstame, hombre. Contéstame. No está bien que escribas a Vela, que es un putrefacto orteguista y a mí, no. Eso me disgusta. Yo no soy inteligente ¡es verdad! Pero soy poeta.

FEDERICO

Germaine: ¿Cuándo va usted a venir a Granada? ¿Por qué no este carnaval? Toda la gente se reúne en el paseo para ver las mascaradas y lo mejor de Granada queda solo y *encendido.* Sería una delicia, porque podría usted sorprender de una manera furtiva el último encanto de la ciudad.

* Posterior al 12 de febrero, fecha de la carta en que Guillén pide a Lorca poemas para publicar en *Verso y Prosa* (Guillén, *Federico en persona,* p. 117). Esta carta 15 de Federico, y la que está numerada 17 en *Federico en persona* (pp. 119-20), constituyen, probablemente, una sola.

A Jorge Guillén (16)

[Tarjeta postal]

[M: Granada, 12 febrero 1927]

D. Jorge Guillén. Capuchinas, 6. Murcia

Querido Jorge:

Ya habrás recibido *todo,* ja, ja, ja.

¡No dirás que soy malo!

Te suplico un poema. Un poema en seguida. Estos muchachos están anhelantes de tu poesía.

Yo lo espero. Y lo quiero.

En la plana central del suplemento, ¡qué bien tus versos! Falla ha hecho un artículo musical magnífico en el cual hay un autógrafo de Chabrier. ¡Vamos!

Hola, Teresita, ¿cómo estás? Cuando te vea, ¿te vas a asustar de mí? No. Tú eres una niña preciosa. ¡Y qué bien vas a tocar el piano! Siento que Claudio no me conozca. Adiós, Claudio.

Muchos recuerdos a Germaine. Para ti un abrazo grande para que lo partas por la mitad con Guerrero.

FEDERICO

A Ramón Pérez de Roda

[Dibujo: rostro de pierrot]

[1927]

12 febrero

Sr. D. Ramón Pérez de Roda. Albuñol. Provincia de Granada

Querido Ramón: No quiero de ninguna manera faltar a mi palabra. No lo hago por palabra de honor, sino por palabra de amor, que es bien distinto.

SONETO DE HOMENAJE A MANUEL DE FALLA OFRECIENDOLE UNAS FLORES

—

Lira cordial de plata refulgente
de duro acento y nervio desatado,
Voces y frondas de la España ardiente
con tus manos de amor has dibujado.

—

En nuestra propia sangre está la fuente
que tu razón y sueños ha brotado.
Algebra limpia de serena frente.
Disciplina y pasión de lo soñado.

—

Ocho provincias de la Andalucía
Olivo al aire y a la mar los remos,
cantan Manuel de Falla tu alegría.

—

Con el laurel y flores que ponemos
amigos de tu casa en este día,
pura amistad sencilla te ofrecemos.

—

Esta carta la escribo haciendo un claro en la *Soledad* que en honor del insigne Góngora compongo en estos días con motivo de su centenario. Pero el claro hay que hacerlo bien hecho y bien dibujado cuando se trata de amigos como tú.

Verdaderamente te envidio a la orilla del mar. Yo tengo la desgracia de que mi padre sea un montañés excesivo y no guste de pasar temporadas junto a las olas,

[Dibujo: barquito de vela sobre las olas]

pero para mí no hay mayor placer en la vida, que la contemplación y el goce de este alegre misterio.

Espero, a pesar de todo, que no estarás muchos días en la costa. Hoy empiezo a recibir pruebas de mi libro de Canciones. Esto ya es un hecho. Olvidemos, pues, todas las canciones, ya que pasan a otros ojos y a otras fuentes.

Saluda a Eugenia y a tus hermanas. Tú recibe un fuerte abrazo de

FEDERICO

12 de febrero 1927.

A Jorge Guillén (17)

[Dibujo: cabeza de pierrot]

[1927] *

14 febrero

Queridísimo Jorge:

Hoy rompo una larga carta de *quejas* que te dirigía. Recibo tus letras con la mayor alegría. Carta del poeta de los mejores *versos*. Te complazco. Mañana te enviaré versos y escribiré a Dalí, pidiéndole un dibujo.

Ya están *gimiendo* las prensas con mi libro de Canciones. Libro de sorpresa para muchos y de alegría para pocos. A Teresita le dedico la canción del lagarto y la lagarta, porque se reirá bastante de verlos llorar (¡los pobres!).

Yo sé que tú tendrás ese libro en tu casa con cariño. Por eso lo publico. Mis amigos lo recibirán de una manera que me conmueve verdaderamente. Aquí en Granada todos los muchachos están preparando una fiesta para el día en que llegue el libro, en la que habrá música y danzas. Pocos libros son recibidos de esta manera. Pero en el fondo creo que no reciben a mi poesía... me reciben a mí.

He pasado verdadera angustia ordenando las canciones, pero ¡ya están! Estoy seguro. El libro, malo o bueno, es *noble* por los cuatro costados.

¡Qué bonito romance publicas! Ya me lo enviaste antes. Tiene, como todo lo tuyo, gracia y *pudor* de estatua desnuda. Hay en toda tu poesía una emoción, una *pena* (¡sí, pena!) de virgen llevada y traída que vence a su perfección casi astronómica.

—

Ahora estoy haciendo una Soledad que, ya sabes, empecé hace mucho tiempo. Es lo que envío al homenaje de Góngora... si me sale bien.

Mira algunos versos. Dime qué te parecen.

SOLEDAD INSEGURA
Noche

Noche de flor cerrada y vena oculta.
—Almendra sin cuajar de verde tacto—
Noche cortada demasiado pronto,
agitaba las hojas y las almas.
Pez mudo por el agua de ancho ruido,
lascivo se bañaba en el temblante,
luminoso marfil, recién cortado
al cuerno adolescente de la luna;
y si el centauro canta en las orillas
deliciosa canción de trote y flecha
ondas recojan glaucas sus acentos
con un dolor sin límite, de nardos.
Lyra bailaba en la fingida curva,
blanco baile de inmóvil geometría.
Ojos de lobo duermen en la sombra
dimitiendo la sangre de la oveja.

En lado opuesto, Filomela canta,
humedades de yedras y jacintos,
con una queja en vilo de Sur loco,
sobre la flauta fija de la fuente
Mientras en medio del horror obscuro
mintiendo canto y esperando miedo
voz inquieta de náufrago sonaba:

Este es un fragmento. Todavía tengo que trabajarlo mucho. O quizás lo tire al cesto de los papeles. ¡Es tan difícil acertar!

Si te parece, puedo mandar otra cosa más mía. ¿No crees? Lo digo en el sentido de que sea más *flexible.*

Mira otro fragmento.

Lirios de espuma cien y cien estrellas,
bajaron a la ausencia de las ondas.
Seda en tambor, el mar queda tirante,
mientras Favonio sueña y Tetis canta.
Palabras de cristal y brisa oscura
redondas sí, los peces mudos hablan.
Academia en el claustro de los iris
bajo el éxtasis denso y penetrable.
Llega bárbaro puente de delfines
donde el agua se vuelve mariposas,
collar de llanto a las arenas finas,
volante a la sin brazos cordillera.

La Soledad empieza así:

Rueda helada la luna, cuando Venus
con el cutis de sal, abre en la arena,
blancas pupilas de inocentes conchas.
La noche calza sus preciosas huellas
con chapines de fósforo y espuma,
Mientras yerto gigante sin latido

roza su tibia espalda sin venera.
El cielo exalta cicatriz borrosa,
Al ver su carne convertida en carne
que participa de la estrella dura
y el molusco sin límite de miedo.

....
....

¿Verdad que esto es una bonita alusión al mito de Venus? Y esto me gusta porque es verdad. «El molusco sin límite de miedo».

—

Dime qué te parecen estos versos. Y dímelo pronto. Trabajo mucho y creo que quizás no consiga terminar esta Soledad. Por otra parte me parece una irreverencia el que yo *me ponga* a hacer este homenaje. No sé.

Yo mañana te enviaré versos, pero contéstame. Y tambien te enviaré *pesetas* (¡qué vergüenza!).

Adiós. Saluda cariñosamente a nuestro querido Guerrero.

Besos a los niños. Recuerdo (mi mejor recuerdo y el más alto) para Germaine y *tú recibe* un abrazo muy fuerte de

FEDERICO

[Dibujo: regla, cartabón y dado]

Las señas de Dalí son: Monturiol, 24. Figueras. Prov. de Gerona.

* Lorca contesta la carta de Guillén del 12 de febrero de 1927 (Guillén, p. 117). El «bonito romance» publicado por Guillén en la *Revista de Occidente* es el que había enviado a Federico en su carta del 1 de septiembre de 1926.

A Guillermo de Torre (2)

[Dibujo: dos cabezas superpuestas de pierrot]

[febrero 1927] *

Querido Guillermo: No me digas «mala personiya» y atiende mis razones. Corrijo pruebas de mis libros y paso horas enteras sobre una canción hasta dejarla como *ella quiere estar*. He pasado una semana con la gripe. Además no sabía qué mandarte. Todo lo que hago ahora es *largo*, pero estoy copiando varios diálogos en prosa que tengo, que irán bien en la *Gaceta*. Diálogo de Buster Keaton, diálogo fotografiado, etc. Prefiero publicar prosas. A la *Revista de Occidente* voy a enviar unos ensayos en prosa y en la *Gaceta* quisiera debutar así. ¿Te parece bien?... ¿o deseas al vate?

Por eso no te mandé nada.

Tarjeta ibérica se mandará en cuanto *pase* algo interesante.

No te olvides de escribirme; recibo tus cartas con la mayor alegría y cariño.

¿De manera que te *metes* conmigo? ¡Ay pérfido Guillermo! ¡Ya me *vengaré* de ti! ¿Y el artículo sobre la Oda? Si lo has recibido mándamelo, que tengo gran interés en leerlo.

Adiõs, Guillermito. Ya recibirás mi original para la *Gaceta*. Mientras tanto recibe un abrazo muy fuerte de

FEDERICO

[Dibujo ¿o estampa?: cangrejo]

¡Que me escribas!

* Posterior a la carta a Ramón Pérez de Roda del 12 de febrero, pues en aquel día empieza a corregir pruebas de sus *Canciones*. Con esta carta Lorca responde a la de G. de T.

fechada el 16 de enero de 1927, en que éste le pide, para *La Gaceta Literaria,* poemas «de una extensión limitada». Pide, asimismo, que Lorca encuentre a alguien capaz de mandar «un par de cuartillas sintetizando las actualidades literarias locales con destino a nuestra sección informativa de *Postales ibéricas*». El «artículo sobre la Oda» es el que G. de T. anuncia en cartas inéditas del 22 de octubre y del 18 de noviembre de 1926. En la primera, dice: «...acabo de mandar a La Razón de Buenos Aires un gran —en el sentido elogioso— artículo sobre tu Oda [a Salvador Dalí]. Ya lo verás cuando se publique.»

A José María de Cossío (2)

Granada [mediados de febrero 1927]

Mi querido Cossío: ¿Recibió usted mis versos? Creo que sí. Después de saludarlo cariñosamente, paso a pedirle un favor. Los muchachos de Granada van a hacer una hoja literaria, «El gallo del Defensor», suplemento del viejo diario *El Defensor de Granada,* de tanta y tan gloriosa tradición artística, pues es el diario de Ganivet y todos los *ingenios* de la Cuerda. Lo necesitamos. Su firma es querida y admirada por nosotros. Mande usted lo que quiera. Lo agradeceremos siempre. ¿Por qué no hace usted algo de toros? ¡Qué bellas *crónicas* taurinas podría hacer, mi querido Cossío! *Arte taurino,* ¡claro está! Publicaremos bellas fotografías escogidas de momentos felices y plásticos. ¿Acepta usted nuestra proposición? Sí. Muchas gracias por hacer aceptado. Le veo a usted en su casa de Tudanca, entre una tibia brisa de membrillos y nogal pulimentado, trabajando en cosas bellas por el día, y durmiendo un dulce y lento sueño de oso por las noches. Sea usted bueno con nosotros. Reciba un abrazo cordial de su amigo y admirador

Federico García Lorca

S/c Acera del Casino, 31

* Debe ser, probablemente, de mediados de febrero (cf. la carta 3 a Guillermo de Torre).

A Guillermo de Torre (3)

[mediados de febrero 1927] *

Mi querido Guillermo: Ahí van los poemas. Si puede ser posible, publícalos todos. Si no, suprime el que gustes de los pequeños. Pero son distintas *muestras* de mi *lira.* Creo que en un mapa andaluz es difícil saber cuál de ellas ha de ser suprimida. Haz lo que gustes. Te dedico uno. Estoy en deuda contigo y me complazco en poner tu nombre, que me es tan querido, junto a mis versos. ¿Es verdad que Norah está contigo? Dímelo en seguida, porque quiero regalarle unos dibujos de toros que estoy haciendo. Adiós, Guillermito. Recibe un abrazo muy fuerte de tu amigo

Federico

Dentro de breves días tendré el gusto de abrazarte en persona. ¡Saludos a Norah! Los muchachos de Granada (entre los que hay varias *sorpresas*) van a hacer un suplemento literario del periódico *Defensor de Granada* titulado «El gallo del Defensor». Creo que estará muy bien. Va decorado por Dalí de una manera atrevidísima y su formato es en forma de biombo y papel amarillo intenso. Falla publica cosas muy interesantes de música y todo lo demás. Venga en seguida una cosa tuya. ¡En seguida! Lo que quieras. Cuanto más *epatante y alegre,* mejor. Te esperamos. En nombre de todos estos jóvenes te envío otro abrazo.

* En la carta 2, Lorca dice que prefiere enviar *prosa* a G. de T. para *La Gaceta Literaria.* Hemos de suponer que, en una respuesta rápida a la carta 2 de Lorca, Torre había insistido en que su amigo mandara poesía. Pocos días deben de separar la carta 2 de la 3, pues esta tercera carta es parecida a la carta 17 a Jorge Guillén, de este mismo mes de febrero.

A Jorge Guillén (18)

[Granada, febrero 1927]

Querido Guillén:

No te puedes negar a mandar algo a mis amigos de Granada para su «Revista de alegría y juego literario». No te puedes negar.

Así es que lo esperan en seguida. Manda un retrato tuyo que sea bonito, un retrato paseando en Murcia que te haga algún amigo. O un *Retrato de Profesor* en la puerta de la Universidad. Pronto. También sería bonito que mandaras una *cabecita de Teresita* para publicar mi poema. Será una revista alegrísima. Sencilla. Estos muchachos son casi niños y algunos *niños,* pero tienen un entusiasmo y una alegría extraordinaria y una *admiración* por vosotros que encanta. ¿Lo mandarás? Dile, si hay algún muchacho bueno en Murcia, que mande cosas. Adiós, abrazo y admiración de

FEDERICO

Manda a nombre de Antonio A. de Cienfuegos. Plaza de Santa Ana, 18.

A Joaquín Romero Murube (1)

[Granada, 25 febrero 1927] *

Sr. D. Joaquín Romero y Murube

Al mismo tiempo que le envío este poema, le mando mi felicitación por la preciosa revista *Mediodía.*

Perdone usted mi tardanza, pero no sabía qué poema elegir.

¡Le agradezco en el alma sus elogios!

¡Todo a la mayor gloria de nuestra Andalucía!

Salude al gran Pedro Salinas y a la redacción.

Usted mande en su afectísimo compañero

FEDERICO GARCÍA LORCA

[Dibujo: dos limones]

Granada.

ROMANCE CON LAGUNAS

A Jean Cassou

Por una vereda
venía Don Pedro.
¡Ay cómo lloraba
el caballero!
Montado en un ágil
caballo sin freno
venía en la busca
del pan y del beso.

Todas las ventanas
preguntan al viento,
por el llanto oscuro
del caballero.

—

Primera Laguna

Bajo el agua,
siguen las palabras.
Sobre el agua,
una luna redonda
se baña,
dando envidia a la otra
¡tan alta!
En la orilla,
un niño
ve las lunas y dice:
¡Noche; toca los platillos!

—

Sigue

A una ciudad lejana
ha llegado Don Pedro.
Una ciudad de oro
entre un bosque de cedros.
¿Es Belén? Por el aire,
yerbaluisa y romero.
Brillan las azoteas
y las nubes. Don Pedro
pasa por arcos rotos
Dos mujeres y un viejo,
con velones de plata
le salen al encuentro.

Los chopos dicen: No.
Y el ruiseñor: Veremos.

—

Segunda Laguna

Bajo el agua
siguen las palabras.
Sobre el peinado del agua
un círculo de pájaros y llamas.
Y por los cañaverales,
testigos que conocen lo que falta.
Sueño concreto y sin norte
de madera de guitarra.

—

Sigue

Por el camino llano
dos mujeres y un viejo
con velones de plata
van al cementerio.
Entre los azafranes
han encontrado muerto
al sombrío caballo
de Don Pedro.
Voz secreta de tarde
balaba por el cielo.
Unicornio de ausencia
rompe en cristal su cuerno.
La gran ciudad lejana
está ardiendo
y un hombre va llorando
tierras adentro.
Al Norte hay una estrella.
Al Sur un marinero.

Ultima Laguna

Bajo el agua
están las palabras.
Limo de voces perdidas.
Sobre la flor enfriada,
está Don Pedro olvidado
¡ay! jugando con las ranas.

* Corrijo la fecha dada por Gallego Morell (diciembre 1927) de acuerdo con Jacques Comincioli, *Federico García Lorca...* (Lausanne: Rencontre, 1970, pp. 32-3). G. M. imprime erróneamente, al final del romance que Lorca envía a Romero Murube, la «Kasida I del Tamarit», publicado más tarde con título de la «Gacela del amor imprevisto».

A Guillermo de Torre (4)

[1927] *

Querido Guillermo: Espero tu colaboración. El *grupo literario* de Granada pregunta todos los días por tus cuartillas.

Yo las creo necesarias. Es necesario que te decidas a mandar algo.

«El gallo del Defensor» es una hoja modesta pero puede ser interesante. Recibe un fuerte abrazo de

FEDERICO

[Dibujo: muchacho. Firmado «Federico. 1927.»]

* Las cartas 4 a 7 son, de momento, imposibles de fechar con precisión, pero podrían ser de marzo de 1927, como piensa Arturo del Hoyo (O. C., II, 1302-3).

A Guillermo de Torre (5)

[Tarjeta postal]

[Granada, marzo 1927]

Guillermo: El martes te daré un abrazo. Pero envía, por Dios, tu trabajo para el *Gallo*. No retardes. Lo necesitamos. Vamos a hacer ediciones, pues tenemos dinero. Para algunas te pediremos *prólogo* y *propaganda*. Un abrazo de

FEDERICO
JOAQUÍN AMIGO

Y los demás amigos de Granada,

A. CIENFUEGOS
LUIS A. CIENFUEGOS
NICOLÁS RAMICO RICO
ANTONIO DE LUNA
E. GÓMEZ ARBOLEYA

¡Adiós, Guillermito!

A Jorge Guillén (19)

[Tarjeta postal]

[Granada, 1 marzo 1927] *

Jorge Guillén (Poeta). Capuchinas, 6, Murcia

Querido Jorge: Gracias y mil abrazos por tu poema. ¡Estupendo!

Voluntad de lo leve:
Adorables arenas
exigen gracia al viento.

¡Eso es! ¡Un abrazo!

FEDERICO

La redacción pasa a saludar al poeta perfecto:

Mi saludo más cordial

FRANCISCO GARCÍA LORCA
novelista

JOAQUÍN AMIGO
intelectual puro y admirador tumultuoso

ENRIQUE G. ARBOLEYA
artista adolescente

LUIS A. CIENFUEGOS
(Poeta) y estudiante de arquitectura

A. CIENFUEGOS
Poeta disciplinado

DON LUIS PITIN
cuentista de gnomos y butes

¡Todos te admiran! Saludos de todos a Guerrero.

* El matasellos parece indicar 1 MAR 27. Lorca cita del poema (primer verso: «Altitud veladora:») que Guillén publica en el primer número de *gallo* (p. 5). Los motes que hemos puesto en cursiva fueron escritos por el propio Lorca.

A José María de Cossío (3)

[M: 7 marzo 1927] *

[Tarjeta postal]

José Cossío. Casona de Tudanca. Prov. de Santander.

¡Querido Cossío!
¿No mandará usted lo que pedimos?

¿Esperamos con esperanza?
Creemos que sí.
¡No nos olvide! ¡Venga ese delicioso artículo!
Un abrazo de

Federico García Lorca
Poeta

Francisco García Lorca
Literato

J. Amigo
Intelectual puro

Luis Jiménez Pérez
cuentista

Luis A. Cienfuegos
estudiante de arquitectura

Antonio A. Cienfuegos
Poeta

* Martín cree leer en el matasellos «4 MAR 27». Cf. la carta 19 a Jorge Guillén. Los calificativos bajo las firmas (*i. e.,* las palabras que hemos puesto en cursiva) fueron escritas por el propio Lorca.

A Melchor Fernández Almagro (40)

[Tarjeta postal]

[M: Granada, 4 marzo 1927]

D. Melchor Fernández Almagro. Alcalá, 166. Madrid.

Querido Melchorito:

Gracias por tu artículo. ¡Precioso! Y gracias por los versos de María Teresa R[oca] de Togores.

El primer número del gallo, decorado preciosamente por Dalí, lleva originales de Falla, Jarnés, Guillén, Gerardo, Bergamín, mi hermano, *yo*, etc., etc.

Tu artículo tiene el sentido de un manifiesto. Así lo damos en nuestro gallo. Es un brindis al que contestamos todos al unísono. Adiós, Un abrazo. Anoche recibí el artículo *putrefactísimo* donde se da la noticia de Mariana *. Me dio miedo el *ambiente* del teatro. ¡Qué alegría sentirse alejado de él. Así haré, y ésta será mi norma de *autor dramático.* Adiós, hijo. ¿Vendrás conmigo a Barcelona? Recibe el cariño más grande de

FEDERICO

Un abrazo
PACO

LUIS A. CIENFUEGOS
(Sobrino de Pepe.)

* No he podido encontrar este «artículo putrefactísimo». Según G. M. el artículo por el cual Federico da las gracias a M. F. A. es «Brindis de cualquier día», publicado en el primer número de *gallo,* p. 6.

A Guillermo de Torre (6)

[Tarjeta postal]

[Granada, marzo 1927]

Querido Guillermo: ¡Esperando! Con tinta roja o tinta negra. Con el vuelo más alto y juvenil de toda España. ¡Vamos!

FEDERICO

Querido Guillermo:
Un saludo entusiasta mientras envías lo tuyo para enriquecer esta hoja que espera, impaciente para levantar su vuelo, que

todos los que puedan le den el cariñoso impulso inicial. Gracias, Guillermo. Hasta la vista. Recuerdos, saludos.

PACO

A Guillermo de Torre (7)

[Tarjeta postal]

[Granada, marzo 1927] *

Guillermo, ¿cuándo vienen esas cuartillas? Te suplicaría enviases una lista de suscriptores de la *Gaceta* y gente *buena* de América para enviarles nuestro *Gallo* y las ediciones que vamos a hacer. ¿Te sirve esto de molestia? Danos una fórmula. Acudimos a ti como a *enterado*. Yo debía estar ya en Madrid, pero estos días estoy enfermo y espero reponerme un poco, pues la gripe me ha atacado de veras.

Adiós. Un abrazo muy fuerte de

FEDERICO

¡No nos olvides! Un abrazo.

PACO

[Intercalado:] Envía listas editoriales (casas) interesantes a quienes pedir libros para nuestra sección bibliográfica. Perdona el abuso de tu cualidad de *conocedor*.

* Debe ser de finales de marzo o principios de abril, días en que Federico se traslada a Madrid (cf. la carta 1 a Manuel Pérez Serrabona, y la carta 21 a Jorge Guillén).

A Jorge Guillén (20)

[Tarjeta postal]

[M: ... marzo 1927]

Jorge Guillén. Capuchinas, 6. Murcia.

Querido Jorge: ¡Qué bonito resulta *Verso y Prosa* de este mes! Precioso. El artículo de Guillermo es bonito, y me ha gustado, aunque yo no merezco tanto. Es tan elogioso que me parece que no *soy yo* *.

Te he tenido una larga carta escrita sobre la poesía. La he roto. Comprendo que estoy *muy ligado* con otros poetas, y sería *terrible* mi voz! ¡Pero qué voz tan pura y tan poética! ¡Ay, querido Jorge, vamos por dos caminos falsos; uno que va al romanticismo y otro que va a la piel de culebra y a la *cigarra vacía.* ¡Ay! ¡Cuánta trampa! Es triste. Pero tengo que callar. Hablar sería un *escándalo.* Pero yo estoy estos días que leo poesía vacía o rama decorativa, como recién bautizado. Callo. Perdóname... pero tengo que ponerme la mano en la boca para callar. Adiós. Saluda a Guerrero con mi mejor cariño. Cosas a tus hijos y Germaine, y un abrazo efusivo de comunión poética de

FEDERICO

Estoy un poco enfermo y no puedo marchar a Madrid todavía.

Escríbeme en seguida.

* Federico se refiere al número de marzo (vol. I, núm. 3) de *Verso y Prosa,* en que se publica «F. G. L. Boceto de un estudio crítico inconcluso» de Guillermo de Torre.

A Melchor Fernández Almagro (41)

[Tarjeta postal]

[M: 7 marzo 1927]

Melchorante Fernández Almagro. Administración del Correo Central. Madrid.

Melchorito: Pronto saldrá el «Gallo». Se presentan muchas dificultades. Pero al fin verá su día claro. Yo creo que será precioso.

Pensamos editar como homenaje a Góngora el *Paraíso* de Soto. Ya es seguro, pues contamos con medios. Espero que tú colaborarás siempre a esta labor de granadinismo universal. Yo he escrito una «Historia del gallo» que te gustará y te hará reír.

Estoy enfermo. Mi familia está contentísima, pero yo no me encuentro en disposición de emprender el viaje. Creo que dentro de unos días sí estaré. ¿Harás alguna nota en *La Voz* de nuestro Gallo? Espero que sí. Adiós, Melchorito. Escríbeme largo y alivia mi enfermedad (que es de dientes). Un abrazo fuerte de

FEDERICO

ABRAZOS.

PACO [GARCÍA LORCA]

Perdón, Melchor, de no haberle visto de despedida. Volveré pronto. Mil millones de abrazos. Escribiré largo.

ALFONSO [GARCÍA VALDECASAS]

A Juan Guerrero (1)

[Tarjeta postal]

[M: Granada, 9 de marzo 1927]

Sr. D. Juan Guerrero. Calle de la Merced, 22. Murcia.

Mi querido Juanito Guerrero:

Recibí tu preciosa carta y los poemas admirablemente copiados. Ya te los envío en seguida. Me ha conmovido el amor con que está hecha la copia a máquina y el delicioso color violeta de los versos. Gracias. No tengo amigos mejores que Guillén y tú. ¡Ya verás cuánto os va a divertir el *gallo*! Será precioso. Y ya vamos teniendo dinero para editar el *Paraíso cerrado* de nuestro Soto de Rojas. Podemos hacer una labor muy interesante.

Te suplico me mandes una lista de personas a las que envías *Verso y prosa* para enviarles nuestra hoja. Y desde luego nos envías el precio de un anuncio de tu papel.

Espero tus noticias. Saluda a Guillenes y Guerreros. Y recibe tú un abrazo cordial y lleno de admiración y... (por ser para ti) de gitanismo

FEDERICO

Un saludo

FRANCISCO GARCÍA LORCA

A Guillermo de Torre (8)

[Tarjeta postal]

[Granada, finales de marzo
o principios de abril 1927]

Querido Guillermo: Mil abrazos por tu precioso artículo. No tengo que decirte lo mucho que te agradezco esta prueba de cariño y camaradería.

Entre mis jóvenes amigos de Granada ha producido verdadera satisfacción.

Ahora esperamos tu colaboración. ¿No vendrás pronto, querido Guillermo? Haz lo posible. Yo estaría en Madrid si no estuviera un poco enfermo, aunque afortunadamente no sea de gravedad. De todas maneras, es cuestión de días el que te dé el gran abrazo que deseo. Mientras tanto, recibe éste, hecho tres dobleces, en prueba de cariño y agradecimiento

FEDERICO

Querido Guillermo: Envía eso. Un abrazo.

PACO

Otro abrazo

A. VALDECASAS
catedrático reciente

* Se refiere al artículo de G. de T. publicado en el número de marzo de 1927 de *Verso y Prosa*: «F. G. L. Boceto de un estudio crítico inconcluso.»

A Manuel Pérez Serrabona (1)

[abril 1927]

Mi querido Manolo:

Ayer me dijo Melchorito [Fernández Almagro] todo lo que ha pasado. Así, de pronto, la noticia fue una tristeza de las que no se olvidan. Yo tenía por tu padre, [Fernando Pérez Suárez] tú lo sabes, un cariño y una devoción extraordinaria, y me parece mentira que no lo hayamos de ver más nunca, con su gracia y su bondad, por las calles de Granada y en el café Alameda, donde tan buenísimos ratos tengo pasados con él *.

Hombres como tu padre había muy pocos. Era un pedazo de Andalucía, de la auténtica Andalucía aristocrática e inteligentísima. Un hombre de raza vieja y depurada, que hacía el milagro de unir la bondad más dulce con la ironía más aguda.

Hubiese querido estar en Granada para haberte acompañado en tan triste momento, pero ten la seguridad de que espiritualmente lo he estado. Saluda cariñosamente a tu hermano Fernando y demás familia.

Tú recibe un gran abrazo de

FEDERICO

* Murió, según Gallego Morell (*op. cit.*, p. 135) el 1 de abril de 1927.

A Guillermo de Torre (9)

[Tarjeta postal]

[Granada, abril 1927] *

Un cordial abrazo de Granada. Dentro de varios días nos volveremos a ver.

Hoy estoy corrigiendo la puntuación del *Paraíso* de Soto.

Saluda a Giménez Caballero.

Para ti mi mejor abrazo y mi cordial amistad.

FEDERICO

(¡Frágil!)

* De fecha incierta, probablemente después del 17 de abril; ya ha vuelto de Madrid a Granada, donde pasará la Semana Santa (cf. la carta 21 a Guillén). Al decir a Torre que «Dentro de varios días nos volveremos a ver» está pensando, quizás, en pasar por Madrid con rumbo a Cataluña.

A Jorge Guillén (21)

[Tarjeta postal. Granada. Cartuja. Interior de la Iglesia]

[M: 17 abril 1927]

Sr. Jorge Guillén. Capuchinas, 6. Murcia

Estuve varios días en Madrid *arreglando* mi estreno. He venido a Granada la Semana Santa, y después marcho a Barcelona. ¡Preciosos ejemplares de *Verso y Prosa*! Gracias a ti y a Guerrero.

Ahora me siento *creador* y no tengo tiempo. Estoy fastidiado.

¡Qué ganas tengo de verte!

Saluda a Germaine y los niños.

Un abrazo de

FEDERICO

A Melchor Fernández Almagro (42)

[Tarjeta postal: Generalife]

[M: Granada, 18 de abril 1927]

Señorito Melchorito Fernández Almagro. Alcalá, 166. Madrid.

Me vine sin avisarte. Te mando un abrazo de lo más cariñoso.

Granada ha estado magnífica la Semana Santa. Desconocida para ti. La procesión del Cristo de Mora en la Carrera del Darro es lo más sorprendente de emoción religiosa que he visto.

Anoche, la Soledad de Santa Paula, en la calle de S. Juan de Dios, tuvo un cortejo de saetas de lo más puro y castizo granadino.

Un abrazo.

FEDERICO

A Guillermo de Torre (10)

[Tarjeta postal]

[¿mayo 1927?]

Querido Guillermo: Nuestro abrazo cariñoso.

FEDERICO

El 1909 gira grotesco y dramático en esa sardana de la postal.

Ola, Guillermo de Torre,

SALVADOR DALÍ

A Antonio Gallego Burín (5)

[Tarjeta postal: Iglesia Parroquial de San Pedro, Figueras, Gerona]

[mayo 1927]

Querido Antoñito: Estoy muy contento de que se hagan los Autos Sacramentales *. Escríbeme diciendo cosas sobre este asunto. En Granada se puede hacer lo más bonito del mundo. Ahora estoy con Dalí haciendo el decorado y *atrezzo*. Un abrazo muy grande dell teu amic Federico.

Saludos a Eloísa [Morell Márquez] y da besos a mi Antoñico y mi Manolico [Gallego Morell].

FEDERICO

Y a Antoñico y mi Manolito.

SALVADOR DALÍ

* *El gran teatro del mundo* fue representado el Día del Corpus, 1927 (G. M., *Antonio Gallego Burín,* ed. cit., p. 53).

A Cipriano Rivas Cherif

...Yo quisiera que se reprodujera en algún sitio, bien reproducido, no por mí, *naturalmente,* sino por él y por su familia.

Si en el *ABC* pudiera reproducirse bien, yo te enviaría la foto. Esto no es *compromiso,* de ninguna manera. Si a ti te ocasiona la más leve molestia, quiere decir que no se hace; pero si es fácil que salga *decentemente puesto,* me gustaría dar esta sorpresa a un buen amigo mío *artista novel.* Esto en la más discreta reserva. Me sonrojo un poco de pedir que salga como foto mía en los papeles, pero te repito que se trata de otra persona, aunque sea yo el modelo. En esto me parezco a Melchorito [Fernández Almagro], que *coloca* poemas, dibujos y prosas de sus amigos y ha sido en cierto modo *lanzador* del pimiento picante de Maruja Mallo. Contéstame, Cipri [¿Cipriano Rivas Cherif?]. Ponte bueno, requetebueno. Te abraza estrechamente tu amigo

FEDERICO

Muchísimos recuerdos de mi familia, que dice eres simpatiquísimo. «Es un hombre de talento que sabe ir por la vida», ha dicho mi padre.

A Antonio Rodríguez Espinosa (2)

[1927 o 1928]

Mi querido don Antonio:

Después de saludar a usted y su familia con el mayor cariño y desearle paciencia y buena voluntad de hombre para sobrellevar todas las tristezas que Dios le ha dado, le suplico me envíe los papeles que yo (perezoso en extremo) no recogí y que le envió mi familia con su sobrino.

Se trata de los apuntes de una conferencia que tengo que dar en Madrid el mes de octubre y me urgen mucho para trabajarla ahora que tengo todo el tiempo por mío. Me los envía usted certificados a la Acera del Casino, que yo, desde la Huerta, pasaré a recogerlos. No se olvide, que es muy preciso para mí.

Aquí en casa estamos buenos. Mi madre y las niñas están en Lanjarón y nosotros estamos con mi padre, que gracias a Dios se conserva muy bueno.

Adiós, don Antonio. Salude a doña Mercedes, a la que deseo todo el alivio posible, a sus hijas, y usted reciba un abrazo muy cariñoso de su antiguo discípulo.

FEDERICO

A Manuel de Falla (16)

[Tarjeta postal: Cadaqués]

[M: Figueras, 13 mayo 1927]

Querido don Manuel:
Un abrazo cariñoso desde el Ampurdá.

FEDERICO

Saludos a María del Carmen.

Afectuosamente y con la admiración de

SALVADOR DALÍ

A Jorge Guillén (22)

[Tarjeta postal: (illeg.) in Umanak. N. W. Grönland]

[*M*. Figueras, 14 mayo 1927]

Sr. D. Jorge Guillén. Capuchinas, 6. Murcia. [Reexpedida a: Constitución, 12. Valladolid.]

Querido Jorge: Estoy con Dalí, que ha pintado ya las decoraciones de Mariana Pineda. Son maravillosas. Ahora hace los trajes.

Te recordamos mucho.

Saluda a Germaine y los niños.

Abraza a Juanito Guerrero.

Un abrazo para ti de

FEDERICO

¡Felices Pascuas!

DALÍ

A Sebastián Gasch (1)

[Membrete:] Gran Hotel Condal de Mateo Borell, Boquería, 23. Barcelona.

[Barcelona, mayo o junio 1927] *

Querido amigo Gasch: Perdóneme. No le he enviado antes el retrato por falta de tiempo (mitad) y *olvido* (otra mitad). Hoy se lo mando en seguida. Y no tengo que decirle lo agradecido que estoy.

¿Quiere usted que nos veamos? Mañana, lunes, que es fiesta, podremos vernos, a las cinco o antes, en el Oro del Rhin. Usted dirá. Avíseme.

Reciba el cariñoso afecto de su amigo

FEDERICO

[Dibujo:] Teorema de la línea y la mano (sin solución).

A Sebastián Gasch, Federico García Lorca.

* Las cartas 1 a 6 a Sebastián Gasch son difíciles de fechar con precisión, pues, aun después del valioso libro de Antonina Rodrigo, seguimos sin saber las fechas exactas de la estancia de García Lorca en Barcelona, en Figueras, en Sitges y en Cadaqués durante la primavera y verano de 1927. Lo cierto es que en mayo y junio hace repetidos viajes con Dalí desde Figueras a Barcelona para preparar las decoraciones de *Mariana Pineda,* cuyo estreno tiene lugar el 24 de junio, y durante estas visitas a la capital se hospeda en el Gran Hotel Condal (Antonina Rodrigo, *op. cit.,* p. 108). Después de pasar el mes de julio en Cadaqués con la familia Dalí y con el guitarrista Regino Sáinz de la Maza, vuelve a Barcelona (¿por sólo un día?) y emprende su regreso a Granada, vía Madrid. En un telegrama fechado el 2 de agosto a 1927 comunica a Melchor Fernández Almagro, en Madrid: «Llegaré mañana expreso.»

Las cartas 1 a 3 pueden datarse, pues, de la primera estancia en Barcelona en este verano de 1927.

En cambio, las cartas 4 y 5 fueron escritas en Cadaqués en julio. La 5 anuncia su viaje a Barcelona, y la 6 (escrita probablemente poco después) su llegada. En ambas cartas expresa su deseo de ver a Luis Montanyá. Si llegó, en efecto, a Madrid el 3 de agosto, y si sólo estuvo un día en Barcelona, estas cartas 5 y 6 serían de finales de julio, y el editor de *Cartas a sus amigos* se habría equivocado en la «dificultosa lectura» del matasellos de la carta 4 (véase *Cartas a sus amigos,* p. 48, n. 10).

A Isabel García Rodríguez

[Membrete:] Café de la Rambla, Barcelona.

[Barcelona, mayo o junio 1927]

Querida Tía Isabel:

Te mando un cariñoso saludo desde Barcelona, donde, como sabrás, estoy preparando el estreno de Mariana Pineda. Hoy me he retratado *al minuto,* y teniendo ya en mi casa retratos míos, quiero que seas tú quien tenga éste que me hago, un poco de broma, pero que te envío con todo cariño.

Saluda a todos los amigos y a la familia, así como a Tío Pepe. Besos a los niños y tú recibe un abrazo fuerte y un beso de tu sobrino que tanto te quiere de cerca y de lejos.

FEDERICO

Muchas cosas a la prima María y su marido, y a la simpatiquísima y requete-simpatiquísima Mercedicas [Delgado García], a sus niños, y a Manuel [Delgado].

Saludos a Ricardo.

A Sebastián Gasch (2)

[Membrete:] Hotel Condal [etc.]

[Barcelona, mayo o junio 1927]

Mañana estaremos a las nueve en la [casa] * de Aragón.

FEDERICO GARCÍA LORCA
Sitges

Adiós. Hasta mañana.

* [Dibujo: casa y barca al lado de un río]

A Sebastián Gasch (3)

[Membrete:] Gran Hotel Condal [etc.]

[Barcelona, mayo o junio 1927] *

Querido amigo Gasch: Acaba de llegar Dalí. Esta tarde, si puede, le esperamos, a las seis y media o siete, en el Oro del Rhin. Yo le llevaré una colección de dibujos míos para que los vea.

Me alegraré mucho que pueda asistir a la cita.

Reciba un cariñoso saludo de su camarada.

FEDERICO GARCÍA LORCA

* Véase la nota a la carta 1 a Gasch (pág. 65).

A Ana María Dalí (7)

[Tarjeta postal: Plaza Real, Barcelona]

[Barcelona, mayo o junio 1927] *

Señorita Ana Mariquita Dalí
Playa de Llené, Cadaqués. Prov. de Gerona.

Querida Ana María: Un abrazo y saludos cariñosos desde Barcelona. Las decoraciones del *noy* [Salvador Dalí] son deliciosas. ¿Cómo se dice nublo? ¿Y cucharita? Dile a la Consuelo que no mueva tanto escándalo en la cocina, que no me deja escribir. Le darás muchos besos al osito. Hace cuatro días me lo encontré fumándose un puro en el monumento de Colón.

Adiós, Ana María. Celebraré que la *tieta* esté mejorada. Salúdala en mi nombre. Recuerdos de

FEDERICO

* Anterior al estreno barcelonés de *Mariana Pineda,* el 24 de junio de 1927. Arturo del Hoyo identifica (no sé por qué) al «osito» con Eduardo Marquina. Según ha contado Ana María Dalí a Mario Hernández (conversación de agosto de 1977), el «osito» fue un simple muñeco que se guardaba en la casa de los Dalí en Cadaqués.

A Manuel Pérez Serrabona (2)

[Tarjeta postal: Rambla de Figueras]

[M: Figueras, 16 mayo 1927]

Niño:

Aunque estás lejos, me acuerdo de mis amigos. Te mando dos abrazos: uno para ti y otro para (en voz baja) mi gran Pepe Navarro, que no sé sus señas. Estoy en casa de mi amigo el pintor Dalí, que hace un magnífico decorado. Dale besos y *jorges* * a mi Encarnación y los otros niños y diles que se los manda el poeta

FEDERICO

* Según Gallego Morell (*Cartas, postales...*, p. 137) estos «jorges» eran «pasteles de la confitería granadina de López Mezquita, bautizados así por Federico por ser los preferidos del pintor Jorge Apperley». Encarnación Pérez Sanz era hija del destinatario.

A Melchor Fernández Almagro (43)

[Tarjeta postal: Barcelona, Ronda de San Pedro]

[M: Barcelona, 29 mayo 1927]

Señorito Melchorito F. Almagro. Administración del Correo Central, Madrid.

Queridísimo Melchorito:

Aquí estoy en pleno ensayo. [Rafael] Barradas se ha encargado de realizar el decorado de Dalí.

Yo creo que plásticamente estará muy bien y de una gran novedad.

Te recuerdo frente al mar que tanto queremos y que tan *cerca* estamos de su estética.

Un abrazo muy fuerte de

FEDERICO

A Melchor Fernández Almagro (44)

[Telegrama]

[Barcelona, 25 junio 1927]

Fernández Almagro. Alcalá, 166. Madrid

GRAN EXITO MARIANA PINEDA ABRAZOS

FEDERICO-DALÍ

A Sebastián Gasch (4)

[Tarjeta postal: Puerto de Cadaqués]

[Cadaqués, julio 1927] *

Una espiritualidad de la Bien Plantada.
Todo el mundo es una casa de locos. Teresa.

Estimat amic: No deixis d'anarme escriguen en el sentit de l'última carta *interesantísima.* Nosaltras trabaillem molt en el manifest Anti-artistic, demá probablement t'enviaré moltisims datos y a mes preparo una llarga carta parlante del meu «bosc d'aparatus» y del naixement de Venus que estan ja començats. Quina llastima que no puguem estar junts!

Un abras

DALÍ

Querido amigo: Seguimos en el trabajo del manifiesto. Es, desde luego, tarea dificilísima que hay que salvar a fuerza de agudeza y fe. Un abrazo muy cariñoso de

FEDERICO

* Véase la nota a la carta 1 a Gasch (pág. 65).

A Sebastián Gasch (5)

[Tarjeta postal]

[Cadaqués, julio 1927]

Querido Sebastián Gasch: El jueves llegaré probablemente a Barcelona y estaré un día. Espero verlo. Seguiré en el Hotel Condal. Avise a Montanyá, si le es posible. Ya tengo que dejar por muchas circunstancias este maravilloso Cadaqués y este amigo tan querido. Y lo hago con verdadero sentimiento.

Adiós, Gasch. Hasta pronto. Un abrazo de

FEDERICO

Abiat rebras l'anunciada carta.

DALÍ

Amigo Gasch: Le saluda cordialmente.

REGINO SAINZ DE LA MAZA

A Sebastián Gasch (6)

[Membrete:] Café de la Rambla

[Barcelona, finales de julio, principios de agosto 1927] *

Querido Gasch: Acabo de llegar. Dejo con sentimiento Cadaqués. Le espero a las seis y media en el Café de la Rambla. Nos veremos. ¿Podría ver a Montanyá?

Abrazos de

FEDERICO

* Véase la nota a la carta 1 a Gasch (pág. 65).

A Manuel de Falla (17)

[finales de julio 1927] *

Mi querido Don Manuel: Cuando reciba usted esta carta ya estaré camino de Granada, después de dejar con cierta pena esta hermosísima tierra catalana, donde tan bien lo he pasado. No se puede usted imaginar lo mucho que lo quieren aquí y cuántas atenciones tengo recibidas por el solo hecho de ser amigo de usted.

Yo le he recordado constantemente mientras se realizaba el decorado de Mariana Pineda, lleno de un maravilloso andalucismo intuido sagazmente por Dalí a través de fotografías genuinas y de conversaciones mías exaltadas, horas y horas, y sin nada de *tipismo*. Ya hablaremos de todo esto y de varios proyectos que tengo y quizá logren interesarle.

Lo de los «autos sacramentales» ha sido por fin un gran éxito en *toda España* y un éxito de nuestro amigo Lanz, que día tras día y modestamente consigue ganar nuestra máxima admiración. Esto me produce una extraordinaria alegría y me demuestra las muchas cosas que se pueden hacer y *que debemos hacer* en Granada.

Salude a María del Carmen de mi parte, déle gracias por su tarjeta, y recibe usted un abrazo de respetuoso cariño y admiración.

FEDERICO

Hice una exposición de dibujos *obligado* por todos. ¡Y he vendido cuatro! Le envío catálogos de recuerdo. Mil gracias por todo y por su felicitación.

Le saluda cordialmente

SALVADOR DALÍ

* García Lorca salió de Barcelona el 2 o el 3 de agosto (cf. su carta 46 a Fernández Almagro). Sobre los autos sacramentales véase Antonio Gallego Morell, *Antonio Gallego Burín*, pp. 52 y ss.

A Melchor Fernández Almagro (45)

[Cadaqués, julio 1927] *

Queridísimo Melchor: Una lata te voy a dar. Quisiera saber cómo puedo cobrar en la Sociedad de Autores, y si tú podías cobrar por mí y enviármelo. ¿Es una lata? Perdona, Melchorito, pero a nadie más que tú [sic] tengo confianza para decirle esto y pedirle este favor.

Contéstame a vuelta de correo. Ahora no quisiera pedir dinero a mi familia para marchar y ya les he gastado un horror.

Cadaqués está estupendo y es una verdadera delicia vivir aquí, pero mi familia me reclama urgentemente y con razón. Me costará trabajo marchar y estoy sosteniendo una verdadera batalla con la familia Dalí, pero no tengo ya más remedio.

He trabajado bastante en nuevos y *originales* poemas pertenecientes ya, una vez terminado el Romancero gitano a otra *clase de cosas*. Tú me has escrito muy poco, y esto me hace suponer que me vas apartando de tu amistad, y que eres más malo que *arrastrao*. Adiós, Melchorito. Contéstame y recibe un apretado abrazo de

FEDERICO

* Como ya ha visto Mario Hernández (*op. cit.*, p. 178), esta carta tiene que ser posterior al estreno barcelonés de *Mariana Pineda*; por tanto, no puede ser de «primavera 1925» como escribe Gallego Morell (p. 69).

A Juan Ramón Jiménez (2)

[Tarjeta postal]

[Cadaqués, ¿julio 1927?]

FEDERICO-SALVADOR DALÍ

A Melchor Fernández Almagro (46)

[Telegrama]

[Barcelona, 2 agosto 1927]

Melchor Almagro, Alcalá, 166, Madrid

LLEGARE MAÑANA EXPRESO

FEDERICO

A Sebastián Gasch (7)

[Granada, agosto 1927] *

Mi querido Gasch: Tengo la necesidad absoluta de darle un talón para que recoja de la estación (Gran Velocidad) un abrazo mío que le mando convenientemente preparado en una cajita de cristal de Venecia. Su artículo me gusta y le doy mis gracias efusivas. Usted ya sabe el extraordinario regocijo que me causa el verme tratado como pintor.

Ahora empiezo a escribir y a dibujar poesías como ésta que le envío dedicada. Cuando un asunto es demasiado largo o tiene poéticamente una emoción manida, lo resuelvo con los lápices. Esto me alegra y divierte de manera extraordinaria. La revista está cada vez mejor y cada día tendrá más éxito. En Granada no hay casi nadie, pero ya me preocuparé de las subscripciones. Dígame dónde tengo que girarle el producto de mi subscripción.

En este grupo de amigos ha causado magnífica impresión y mi hermano está entusiasmado.

¡Qué admirable «San Sebastián» de Dalí! Es uno de los más intensos poemas que pueden leerse. En este muchacho está, a mi juicio, la mayor gloria de la *Cataluña eterna*. Yo estoy preparando un estudio sobre él, que usted traducirá al catalán, si quiere, y lo publicaré antes en ese idioma.

Me acuerdo mucho de usted y celebraré que me escriba cuanto antes. Aunque le envié una carta el otro día, quiero hoy darle las gracias y suplicarle recoja mi abrazo en la estación de las cuatro Estaciones de la temperatura. Hasta pronto.

FEDERICO

* Es ésta, quizá, la *segunda* carta que Lorca dirige a Gasch después de llegar a Granada («Aunque le envié una carta el otro día...»). Nótese que sigue tratando a Gasch de «usted». La carta es posterior al 31 de julio, fecha de la publicación en *L'Amic de les Arts* del poema en prosa «San Sebastiá» de Salvador Dalí. En el mismo número aparece el artículo de Gasch mencionado en el primer párrafo («Una exposició i un decorat»). El que Lorca recibiera este número por correo sugiere que, en efecto, salió de Barcelona en los primeros días de agosto. Por otra parte, conviene recordar que la fecha que lleva una revista no siempre corresponde a la fecha en que se publica y se distribuye.

A Ana María Dalí (8)

[Dibujo:] «La melancolía de Enriqueta»

[Granada, agosto 1927] *

Querida Ana María: Llevo ya varios días en Granada y cada momento tengo necesidad de hacer un retrato tuyo a mis hermanas, que constantemente me preguntan por ti.

Lo he pasado tan bien en Cadaqués que me parece un sueño bueno que he tenido. Sobre todo al despertar y encontrarse «con aquello» que se ve desde la *Ventana*. Mis ángeles buenos eran el precioso beato Salvador de Horta y Puig Pajades que lo regaló. Ahora recuerdo hasta el menor detalle de mi estancia en tu casa. Y te pido perdones, rodilla en tierra, por alguna cosilla en que sin querer no haya estado completamente bien, como ha sido mi *grave* enfermedad de garganta que tantos latazos te ha dado.

Aquí me ha visto el médico y dijo que era una pequeña faringitis y que no ha tenido importancia aunque es molesto. Ya me lo había dicho Enriquet **. Ahora estoy, como sabes, en la Huerta de San Vicente, junto a

Granada, y dentro de varios días marchamos a la sierra de Lanjarón y después a Málaga a terminar el verano. Aquí estoy bien. La casa es muy grande y está rodeada de agua y árboles corpulentos, pero *esto no es la verdad.* Aquí existe una cantidad increíble de *melancolía histórica* que me hace recordar esa atmósfera justa y neutral de tu terraza, en donde a veces la Lydia pone un chorro de pimienta fuerte que hace resaltar más todavía la gracia visible del aire. He recibido *L'Amic de les Arts* y he visto el prodigioso poema de tu hermano. Aquí en Granada lo hemos traducido y ha causado una impresión extraordinaria. Sobre todo a mi hermano, *que no se lo esperaba,* a pesar de lo que le decía. Se trata sencillamente de una prosa nueva llena de relaciones insospechables y sutilísimos *puntos de vista.*

Ahora desde aquí adquiere para mí un encanto y una luz inteligentísima que hace redoblar mi admiración.

Yo empiezo a trabajar (en cosas muy malas, naturalmente), pero que me distraen y hacen alegre esta monotonía subrayada en que estoy. Espero que me escribirás y darás noticias de todo lo que pase en Cadaqués y cómo sigue el mar y cómo están de salud María, Eduard y la Margarita petita. Le darás recuerdos a Rosita muy cariñosos y cantaréis en mi recuerdo «Una vez un Chöralindo..., etc.». ¡Echale maíz a las Ocas!

Saluda a Raimunda.

Adiós, Ana Maric. El osito me ha puesto una postal contándome no sé qué cosa de Marquina y diciéndome que casi me habéis olvidado, pero que él no puede olvidarme por la admiración que me tiene y por lo bien que lo he tratado.

Dentro de varios días le mandaré un bastón. Te ruego se lo digas.

Saluda a tu hermano el tontito (¿sabes?) ¿chabes?

Recuerdos a tu padre y tú recibe el mejor recuerdo y el cariño de tu *amic*

FEDERICO

Escríbeme y cuéntame lo que pinta tu hermano. ¡Envíame las fotos! ¿No quieres?

* Arturo del Hoyo fecha esta carta en septiembre de 1927. Es la primera que Lorca escribió después de su segunda visita. No se sabe la fecha exacta de su llegada a Granada, pero podemos suponer que fue a principios de agosto (carta 17 a Manuel de Falla y la carta inédita de Pepín Bello del 28 de julio de 1927 [archivo de la familia G. L.], en que Bello le ruega a Lorca que venga a Madrid lo antes posible). El «prodigioso poema» de Salvador Dalí que Lorca menciona en el tercer párrafo es «San Sebastiá», publicado en *L'Amic de les Arts* el 21 de julio de 1927.

** Un pescador de Cadaqués.

A un amigo de Barcelona
[*fragmento*]

[Tarjeta postal: Lanjarón]

[Lanjarón, ¿agosto 1927?] *

En plena Sierra Nevada se está en el *corazón del alma* de Africa. Todos los ojos son ya perfectamente africanos, con una ferocidad y una poesía que hace resistible el Mediterráneo. Este árbol [la postal representa el «castaño gordo» de Lanjarón] te dará una idea de la vegetación y calidad densa del agua. Aquí se comprenden las llagas de San Roque, las lágrimas de sangre y el gusto por el cuchillo clavado. Andalucía extraña y berberisca.

A Sebastián Gasch (8)
[*fragmento*]

[Lanjarón, ¿agosto 1927] *

Yo, aquí, en Lanjarón, trabajo. El acento morisco suena en todas las lenguas de la gente. Viene viento de Africa, cuyas brumas podemos ver a simple vista. No hay duda que aquí existe un *esquema de nostalgia* que es antieuropeo, pero que no es oriental. Andalucía.

* Las cartas 8, 9, 10, y posiblemente la 11, fueron escritas durante una visita a Lanjarón, la que anuncia a Ana María Dalí en la carta 8. (No hay que descartar la posibilidad de que algunos de estos fragmentos pertenezcan a la misma carta. Tampoco es difícil imaginar que el fragmento 10 recoja párrafos de dos cartas distintas: en la segunda mitad, después de los puntos suspensivos, Lorca pasa revista a 5 dibujos que acaso fueron los que dice haber mandado a Gasch en la carta 13.

A Sebastián Gasch (9)
[*fragmento*]

[¿septiembre 1927?] *

Te agradezco extraordinariamente tus elogios, pues estos me ayudan a dibujar como no tienes idea, y verdaderamente disfruto con los dibujos. Yo me voy *proponiendo* temas antes de dibujar y consigo el *mismo* efecto que cuando no pienso en nada. Desde luego me encuentro en estos momentos con una sensibilidad ya casi física que me lleva a planos donde es difícil tenerse de pie y donde casi se vuela sobre el abismo. Me cuesta un trabajo ímprobo sostener una conversación normal con estas gentes del balneario [de Lanjarón], porque mis ojos y mis palabras están en otro sitio. Están en la inmensa biblioteca que no ha leído nadie, en un aire fresquísimo, país donde las cosas bailan con un solo pie.

. . . .

Estos últimos dibujos que he hecho me han costado un trabajo de elaboración grande. Abandonaba la mano a la tierra virgen y la mano junto con mi corazón me traía los elementos milagrosos. Yo los descubría y los anotaba. Volvía a lanzar mi mano, y así, con muchos elementos, escogía las características del asunto o los más bellos e inexplicables, y componía mi dibujo. Así he compuesto el «Ireso sevillano», la «Sirena», el «San Sebastián», y casi todos los que tienen una crucecita. Hay milagros puros, como «Cleopatra», que tuve verdadero escalofrío cuando salió esa armonía de líneas que *no había pensado, ni soñado, ni querido; ni estaba inspirado,* y yo dije «¡Cleopatra!» al verlo, ¡y es verdad! Luego me lo corroboró mi hermano. Aquellas líneas eran *el retrato exacto, la emoción pura* de la reina de Egipto. Unos dibujos salen así, como las metáforas más bellas, y otros buscándolos en el sitio *donde se sabe de seguro* que están. Es una pesca. Unas veces entra el pez solo en el cestillo y otras se busca la mejor agua y se lanza al mejor anzuelo a propósito para conseguir. El anzuelo se llama *realidad.* Yo he pensado y hecho estos dibujitos con un criterio poético-plástico o plástico-poético, en justa unión. Y muchos son metáforas lineales o tópicos sublimados, como el «San Sebastián» y el «Pavo real». He procurado escoger los rasgos esenciales de emoción y de forma, o de super-realidad y super-forma, para hacer de ellos un *signo* que, como llave mágica, nos lleve a *comprender mejor* la realidad que tienen en el mundo.

* Véase la nota a la carta 8 a Gasch (p. 78).

A Sebastián Gasch (10)
[*fragmento*]

[¿agosto 1927?] *

Querido amigo Sebastián: Efectivamente, tienes razón en todo lo que me dices. Pero mi estado no es de «perpetuo sueño». Me he expresado mal. He cercado algunos días al sueño, pero sin caer del todo en él y teniendo desde luego un atadero de risa y un seguro andamio de madera. Yo nunca me aventuro en terrenos que no son del hombre, porque vuelvo tierras atrás en seguida y rompo casi siempre el producto de mi viaje. Cuando hago una cosa de pura abstracción, siempre tiene (creo yo) un salvoconducto de sonrisas y un equilibrio bastante humano . . . .

Mi estado es siempre alegre, y este soñar mío no tiene peligro en mí, que llevo defensas; es peligroso para el que se deje fascinar por los grandes espejos oscuros que la poesía y la locura ponen en el fondo de sus barrancos. Yo ESTOY Y ME SIENTO CON PIES DE PLOMO EN ARTE. El abismo y el sueño los TEMO en la realidad de mi vida, en el amor, en el encuentro cotidiano con los demás. Eso sí que es terrible y fantástico.

* La carta 10, que tiene una importancia capital para el estudio de las ideas estéticas de Lorca, puede relacionarse con la 9 y con la 12 (cautelas acerca del arte de los sueños). En la 9 dice que en ciertos momentos se encuentra «con una sensibilidad ya casi física que me lleva a planos donde es *difícil tenerse de pie* y donde casi se *vuela sobre el abismo*». Se hace eco de aquella carta en la 10, donde rectifica: «Me he expresado mal... YO ESTOY Y ME SIENTO CON PIES DE PLOMO EN ARTE. El abismo y el sueño los TEMO...» Desde luego, las ideas e imágenes (v. gr., la del «viaje» creativo) de estos fragmentos están más cercanas a las que emplea en «La imagen poética de Don Luis de Góngora» (versión de febrero de 1926) que a las de «Imaginación, inspiración, evasión» (11 de octubre de 1928), y tienen más probabilidad de ser del 27 que no del 28.

A Sebastián Gasch (11)

[Tarjeta postal: Alhambra]

[M: Granada, 30 agosto 1927]

Esta es Granada.

Como belleza es *increíble*. Pero tiene una realidad sorprendente.

Ya estoy aquí *. Y espero tu carta, que no viene. Pero cuando recibas ésta la tendré ya. Un abrazo. ¡Adiós, Sebastián!

FEDERICO

Escribe.

* Las palabras «Ya estoy aquí» podrían referirse a la vuelta de Lorca de la Sierra Nevada.

A Sebastián Gasch (12)

[*fragmento*]

[Granada, agosto o septiembre 1927]

Pero *sin tortura ni sueño* (abomino el arte de los sueños), ni complicaciones. Estos dibujos son poesía pura o plástica pura a la vez. Me siento limpio, confortado, alegre, *niño,* cuando los hago. Y me da horror la *palabra* que tengo que usar para llamarlos. Y me da horror la pintura que llaman *directa,* que no es sino una angustiosa lucha con las formas en las que el pintor sale *siempre* vencido y con la obra *muerta*. En estas abstracciones más veo yo realidad *creada* que se une con la realidad que nos rodea como el reloj concreto se une al concepto de una manera como lapa a la roca. Tienes razón, queridísimo Gasch, hay que unir la abstracción. Es más, yo titularía estos dibujos que recibirás (te los mando certificados), *Dibujos humanísimos.* Porque casi todos van a dar con su flechita en el corazón.

...Como sabrás, he vuelto de Lanjarón y estoy otra vez en la Huerta de San Vicente en plena bucólica, todo el día comiendo exquisita fruta y cantando en el columpio con mis hermanos y hago tantísima tontería, que a veces me avergüenzo de la edad que tengo.

A Sebastián Gasch (13)

[Tarjeta postal]

[M: Granada, 3 septiembre 1927]

Querido Sebastián: Ya está en vías la revista. *Hasta ahora* tiene este título: *Gallo Sultán.* Dime si te gusta.

El formato será parecido a *L'Amic de les Arts* y será a base de fotos. Envíame tu artículo cuando quieras. Puedes mandar también las fotos que quieras publicar. Yo creo deben ser dos. Y si fueran de Picasso o Chirico, o alguien *muy concreto,* mejor. Tu artículo es esperado con alegría.

Ya estamos seguros que enviarás algo muy bueno.

Hemos preferido un formato grande porque, aunque es incómodo, siempre es alegre.

Y además siempre se está a tiempo de variarlo. Hasta pronto. Supongo habrás recibido los dibujos. Un abrazo de

FEDERICO

A Sebastián Gasch (14)

[Tarjeta postal: Alhambra. Puerta del Vino]

[Granada, otoño 1927] *

Esta Puerta fue cantada por Debussy y fue su sueño irrealizable.

Querido Sebastián:

Reunidos todos mis amigos te felicitamos y abrazamos cordialmente por tu amor a Andalucía, que nosotros devolvemos con el mismo cariño por Cataluña.

FEDERICO	FRANCISCO G. LORCA
A. GZ. COBO	FRANCISCO CAMPOS
J. ORIOL	J. F. CIRRE
M. BANÚS	J. AMIGO

No está Arboleya porque es pequeño y está en casa, pero va su [palabra ilegible] también.

* En una postal o carta hoy desaparecida, Lorca y prácticamente el mismo grupo de amigos pidieron colaboración a Luis Montanyá (véase el encabezamiento de la respuesta de Montanyá en Antonina Rodrigo, *op. cit.*, p. 230). Desgraciadamente, A. Rodrigo no nos informa, casi nunca, de las fechas de las cartas a Lorca citadas en su estudio.

A Melchor Fernández Almagro (47)

[Membrete:] Madrid Postal. Escritorio Público... [etc.]

[Madrid, otoño de 1927] *

[Dibujo de un joven que llora; tiene en la mano un libro titulado:] Mariana Pineda Drama de Alte

Melchorito: Ven esta tarde a las tres *en punto* al *Savoja* para ir de allí con Cipriano [Rivas Cherif] y el imponente señor [Manuel] Azaña a la lectura de Mariana en el Fontarba. Dice Cipriano que me conviene muchísimo que vengas. ¿Vendrás? Hasta ahora.

Abrazos de

FEDERICO

* No encuentro ninguna noticia en la prensa madrileña de esta lectura de *Mariana Pineda.* Pero no puede haber sido de «otoño 1926» (cf. G. M., *op. cit.,* p. 78). Según Antonina Rodrigo (*op. cit.,* pp. 89-90), ocurrió en abril de 1927.

A Víctor Sabater

[¿finales de 1927?] *

Sr. D. Víctor Sabater, Ronda de San Pedro, 20. Barcelona.

Querido amigo: Recibí su carta cariñosa y *los retratos,* que le agradezco extraordinariamente.

No puedo olvidar ni un momento a esa Cataluña donde he pasado días únicos y desde luego momentos de una intensidad que antes no había gustado.

A pesar de que me he encontrado una Granada espléndida, reconozco que sigo teniendo nostalgia de Cadaqués y nostalgia de la última Rambla donde está el templo de «Andalucía en Cataluña» y el monumento de Colón. Yo espero que no nos olvidaremos.

Salude a todos los amigos y reciba un abrazo de su amigo

LORCA
3

GARCÍA
2

FEDERICO
1

* Según A. Rodrigo (*Lorca-Dalí: una amistad traicionada*, p. 181), el templo mencionado por Federico es «la iglesia de Santa Mónica, en la Rambla del mismo nombre». El matasellos es ilegible, pero la carta es posterior al 18 de noviembre de 1927, fecha en que Sebastián Gasch sugiere a Lorca que escriba a Sabater (carta inédita de Gasch, archivo de la familia García Lorca).

A Sebastián Gasch (15)

[Tarjeta postal]

[M: Madrid, 24 noviembre 1927] *

Sr. D. Sebastián Gasch. Pino, 12, 1.° Barcelona.

¡Querido Gasch! ¡Querido!

No se justifica mi silencio.

Muchos días de trabajo y muchos días de conflictos. Pero siempre tu recuerdo a mi lado. Y tu recuerdo es de mis mejores cosas. No achaques a *disgusto* mi silencio estúpido, ni lo achaques a olvido. La culpa la tiene el aire, el tiempo, las cosas exteriores. Tú lo sabes bien. He hablado de ti en todas partes y te he recordado *más* que si te hubiera escrito. En el próximo número de la *Revista de Occidente* te dedico un ensayo en prosa que ya verás. Vivo en la Residencia. Abraza a los amigos y recibe el más entusiasta abrazo de tu amigo pródigo

FEDERICO

* El «silencio» de que habla Lorca puede haber sido, según nuestra ordenación de las cartas, de más de dos meses. El «ensayo en prosa» dedicado a Gasch en la *Revista de Occidente* (aparecería en el número de diciembre) es «Santa Lucía y San Lázaro».

A Sebastián Gasch (16) *

Querido Sebastián: Hace cuatro días que estoy en la cama. Tu carta la recibí en plena fiebre de 40 grados. He sufrido una gran intoxicación. Ya estoy en franca mejoría.

Pero no he querido dejar de contestarte. Ya te escribiré. Mil gracias por tus elogios. Quiero editar mis dibujos. ¿No te parece? Con un prólogo tuyo.

Puede ser interesante. Ahora estoy alegre de mi convalecencia.

Adiós, no debo seguir, porque todavía no tengo la cabeza firme y te escribo en la cama.

Recibe un abrazo de

FEDERICO

La revista no sale sin tu artículo. No esperamos al segundo número. Tiene que ser en el primero. Venga ese artículo.

* La respuesta de Gasch (archivo de la familia G. L.) está fechada el 18 de noviembre de 1927.

A Ana María Dalí (9)

[noviembre de 1927] *

Querida amiga Ana Patera y Seachera de Cuca: Recibo tus preciosísimas fotos y tus lindos dibujos en cama.

He estado cuatro días malísimo con *cuarenta grados*. He tenido una grave intoxicación, y gracias a Dios que no me he muerto, pero he estado muy mal. Hoy, sentado en la cama, te escribo para darte las gracias, gracias monísimas y pitititas, y mandarte esta foto de mis hermanas. No están muy bien, pero se conoce que son ellas. Te las han firmado.

Yo no puedo escribir mucho porque tengo la cabeza mareada. Esto lo hago en prueba de cariño y amistad pirulita.

A Don Osito Marquina le contestaré muy pronto.

Es mono y remono.

Adiós, hasta que esté mejor, que te escribiré. Recibe mil afectos de tu amigo tan seachero.

FEDERICO

* Fue escrita, aparentemente, el mismo día que la carta 18 a Sebastián Gasch.

A Juan Ramón Jiménez (3)

[Tarjeta postal: Seises de Sevilla]

Sevilla, 17 diciembre 1927

JORGE GUILLÉN, FEDERICO GARCÍA LORCA, R. ALBERTI, J. BERGAMÍN, LUIS CERNUDA, DÁMASO ALONSO, JUAN CHABÁS, ROMERO MURUBE, GERARDO DIEGO, FERNANDO VILLALÓN, MAURICIO BACARISSE, ALEJANDRO COLLANTES.

A Manuel de Falla (18)

[Tarjeta postal: Puerta de los Reyes, catedral de Sevilla]

[M: Sevilla, 19 diciembre 1927]

Querido don Manuel:

Un abrazo desde Sevilla y nuestra admiración más ferviente.

FEDERICO

RAFAEL ALBERTI, J. BERGAMÍN, JORGE GUILLÉN, FERNANDO VILLALÓN, DÁMASO ALONSO, GERARDO DIEGO, JOSÉ BELLO.

A Rogelio Robles Romero-Saavedra *

Querido Rogelio:

La redacción de *gallo* quiere hacer su *grupo histórico.* Nadie mejor que tú para recogerlo. Esperamos que tu máquina nos *cogerá* en nuestra *pose* mejor y más significativa.

Lo agradeceremos extraordinariamente. Indícanos qué día quieres hacernos este favor.

Un abrazo de

FEDERICO
(y de la Redacción)

* Podría datar de 1927 o de 1928, época de *gallo.* Sobre Rogelio Robles, hijo, véase «La Granada de los años veinte», de Manuel Orozco («Número Homenaje a F. G. L.» de *ABC,* domingo, 6 de noviembre de 1966).

A Melchor Fernández Almagro (48)

[Tarjeta postal: Alcázar de Sevilla, puerta de Marchena]

[M: Sevilla, 19 diciembre 1927]

Abrazos sevillanos, pero verdaderos, e. d., de corazón.

RAFAEL ALBERTI

FEDERICO (ahí van los señoricos...).

DÁMASO GERARDO
J. BERGAMÍN JORGE GUILLÉN
JOSÉ BELLO

A Sebastián Gasch (17) *

[Tarjeta postal]

[M: Sevilla, 23 diciembre 1927] *

Sr. D. Sebastián Gasch. Pino, 12, 1.° Barcelona.

Un abrazo muy grande desde Sevilla.
Cuando llegue a Granada te escribiré.
Escríbeme tú. ¿Te gusta mi prosa que te dedico?

FEDERICO

Saludos a los amigos.

* Está por estudiar el valor que los amigos de Lorca daban a la tarjeta postal. Dalí, por ejemplo, considera la «carta postal com el document més viu del pensament popular modern» (véase C. B. Morris, *Surrealism and Spain,* Cambridge, 1972, pp. 233 y 235), y acaso valga la pena recordar aquí la reacción de Gasch a una postal (probablemente *ésta*) que Lorca le manda desde Sevilla: «Con la cartulina de la fábrica de tabacos has sabido tocar una de mis cuerdas más sensibles. Hace tiempo que siento una fuerte admiración por esas postales españolas, italianas, etc., anti-impresionistas y sin atmósfera y con una poesía que no tienen muchos cuadros modernos»

(carta inédita del 26 de diciembre de 1927, archivo de la familia García Lorca).

A Melchor Fernández Almagro (49)

[Membrete:] *gallo*

[Granada, enero 1928] *

Queridísimo Melchor: Este es el papel de la nueva revista de los muchachos de Granada. El dibujo es de Dalí. No te he escrito porque he estado muy atareado escribiendo muchas cosas nuevas que ya verás. Pero es natural que no te puedo olvidar y que leo tus deliciosos artículos de *La Voz* sin que me falte uno. El que hiciste de la Guerrero era un modelo de elegancia y de sentimiento.

En el primer número va, como es natural, tu artículo. Es revista de granadinos y nada más que granadinos. Así es que si publican otros serán en calidad de huéspedes.

Si quieres corregir algo de tu artículo nos lo dices en seguida, pues ya está dispuesto el original. Me alegro haberme quedado esta temporada, porque ya la revista está andando.

He terminado la «Zapatera Prodigiosa», estoy con la Oda al Santísimo, y preparo la conferencia que he de dar en la Residencia de Estudiantes que será sobre el «patetismo de la canción de cuna española», asunto dificilísimo porque no hay nada escrito sobre esto y se presentan infinidad de problemas y conflictos de muy difícil solución.

Espero ir a Madrid en seguida donde charlaremos largo rato de tantas cosas como tenemos entre manos.

¡Ah, pérfido Melchorante!

Escríbeme y cuéntame cosas de Madrid. Saluda a los amigos. Y en especial a Ayala y P[érez] Ferrero, que se reunen contigo por las tardes en la Granja.

Ayala como granadino tiene que dar abundante colaboración. Dile que le escribiré.

Adiós, querido Melchorito. Recibe un abrazo muy cariñoso de

FEDERICO

* Es posterior al 29 de enero, fecha en que aparece el artículo de Fernández Almagro, «Ha muerto la insigne actriz doña María Guerrero» (*La Voz,* p. 1), que es, probablemente, el artículo que Lorca llama «modelo de elegancia y de sentimiento».

A Jorge Guillén (23)

[Tarjeta postal. Residencia de Estudiantes. Pinar, 17, Madrid. Banco del Duque de Alba y Pabellón de los Laboratorios]

[finales de 1927 - principios de 1928] *

Sr. D. Jorge Guillén. «Ateneo», Valladolid.

Aunque tú estás en no escribirme, yo no quiero dejar de hacerlo.

Solamente para mandarte un abrazo y el anuncio de la publicación de mis romances en la Revista de Occidente. Estoy aterrado porque son espantosamente malos.

Dime qué piensas hacer. ¿Vas a venir? Porque si sigues en Valladolid es fácil que vaya sólo por estar contigo unos días tranquilos y con mi Teresita.

Recibe un abrazo de Federico y saluda a tu esposa y a los niños *así como también* al resto de tu familia y amigos.

¡Adiós!

* Guillén (*op. cit.,* p. 68) fecha esta tarjeta en 1926. Modifico el año de acuerdo con la observación de Mario Hernández (*Romancero gitano,* Madrid, 1981, p. 179): «debe ser, probablemente, mucho más tardía, quizás de este año 1928 (o de los últimos meses de 1927), como indicaría la publicación de "romances gitanos" en la revista o editorial mencionada».

A Sebastián Gasch (18)

[*fragmento*] *

Yo siento cada día más el talento de Dalí. Me parece único y posee una serenidad y una *claridad* de juicio para lo que piensa que es verdaderamente emocionante. Se equivoca y no importa. *Está vivo.* Su inteligencia agudísima se une a su infantilidad desconcertante, en una mezcla tan insólita que es absolutamente original y cautivadora. Lo que más me conmueve en él ahora es su *delirio* de construcción (es decir, de creación), en donde pretende crear de la *nada* y hace unos esfuerzos y se lanza a unas ráfagas con tanta fe y tanta intensidad que parece increíble. Nada más dramático que esta objetividad y esta busca de la alegría por la alegría misma. Recuerda que este ha sido siempre el canon mediterráneo. «Creo en la resurrección de la carne», dice Roma. Dalí es el hombre que lucha con hacha de oro contra los fantasmas. «No me hable usted de cosas sobrenaturales. ¡Qué antipática es Santa Catalina!», dice Falla.

¡Oh línea recta!
¡Pura lanza sin caballero!
¡Cómo sueña tu luz
mi senda salomónica!

Digo yo. Pero Dalí no quiere dejarse llevar. Necesita llevar el volante y además la fe en la geometría astral. Me conmueve; me produce Dalí la misma emoción pura (y que Dios Nuestro Señor me perdone) que me produce el niño Jesús abandonado en el Pórtico de Belén, con todo el germen de la crucifixión ya latente bajo las pajas de la cuna.

* Este fragmento resulta imposible de fechar con seguridad. ¿Datará de finales de diciembre de 1927, o de principios de

enero de 1928, cuando Gasch escribe a Federico: «Me hablas mucho en tu carta de Dalí...»? (véase Antonina Rodrigo, *op. cit.*, pp. 234-6).

A Sebastián Gasch (19)

[M: Granada, 20 enero 1928] *

Queridísimo Gasch: Es en Granada donde verdaderamente estoy tranquilo y apto para la deliciosa conciencia de la amistad. He acertado en no ir a Barcelona verdaderamente. Lo habría pasado mal y además no hubiésemos *estado juntos*. Ahora si voy por fin, yo solo, estaremos mejor.

No sabes con qué gana iría y, desde luego, si no voy no será por mi culpa, sino por culpa del *Destino,* o de un viento contrario del que nadie está libre.

Si Dalí termina pronto el servicio, será delicioso estar juntos. Yo hago mis cuentas y, si Dios quiere, lograré ir a Barcelona. Como sabes, mi Romancero está en puertas. Si puedo, os llevaré yo mismo los ejemplares.

Barcelona me atrae por vosotros.

Tú sabes perfectamente que coincidimos y que nuestras conversaciones nos aprovechan a los dos de igual manera. Yo siempre digo que tú eres el único crítico y la única persona sagaz que he conocido y que no hay en Madrid un joven de tu categoría y de tu ciencia artística, ni tampoco, es natural, de tu sensibilidad. Por eso no debes tener ningún reparo con tus artículos (siempre preciosos y utilísimos) en la *Gaceta Literaria.*

Tú haces mucha falta y debías publicar todavía muchos más. En cuanto a tu castellano, te aseguro que es noble y correcto y llena el fin para que lo utilizas. Pero mucho más importante que el idioma que usas son tus ideas, tu manera de exponer y tu segurísima técnica de juicios. No debes abrigar esta idea jamás. Tu castellano es bueno y será cada vez mejor en cuanto vayas teniendo más colaboración. Yo creo que te convendría publicar un libro sobre pintura moderna. Esto te abrirá un gran campo en España y América, campo hacia el cual debes tender y en el que te esperan éxitos seguros.

Yo me equivoco difícilmente en estas cosas de *intuición*.

Y en Madrid, querido Sebastián, haces mucha más falta que en Barcelona, porque Madrid pictóricamente es la sede de todo lo podrido y abominable, aunque ahora literariamente sea muy bueno y muy tenido ya en cuenta en Europa, como sabes bien.

En cuanto a editar mis dibujos, estoy muy decidido. En Barcelona quizá los editara más barato. Yo te rogaría que te enteraras sobre poco más o menos cuánto me costaría. Publicaría casi todos los que te envié y algunos más. Pondría poemas intercalados, y Dalí, además, pondría dibujos suyos y algunos poemas también. Tú harás un prólogo o estudio, y procuraríamos que el libro circulase. Dime si te parece bien este proyecto que podríamos hacer todavía mejor.

Me gustaría extraordinariamente hacer esto porque sería un precioso libro de poemas.

Ya te enviaré algún dibujo para la revista.

Aquí en Granada se publica por fin la revista de jóvenes con título de «*Gallo*». Creo que estos muchachos valen mucho. Desde luego, yo soy partidario de que la hagan exclusivamente ellos para hacer una cosa en la que no salgan nuestras firmas, que ya están en todas partes. Envíanos un artículo *valiente* y nuevo sobre arte nuevo, que podrá llevar dos o tres fotos o dibujos. Tenemos grandes apuros de dinero y no te podremos pagar más que con cariño, gratitud y buena voluntad.

Adiós. Recibe un abrazo fuerte de

FEDERICO

Recuerdos a los amigos.

* En esta carta, que, según el editor de *Cartas a sus amigos* (p. 48, n. 15), «corresponde seguramente a un sobre con matasellos de Granada de 20 de enero de 1928», y que alude a la visita a Barcelona del grupo de la *Gaceta Literaria,* Lorca contesta la carta de Gasch publicada por Antonina Rodrigo, *op. cit.,* pp. 234-6.

A Sebastián Gasch (20)

[*fragmento*]

Aquí en Granada me siento tranquilo y algo triste, limpio de ritmos fugaces y en paz conmigo mismo. Madrid me aturde mucho y aunque no hago, en absoluto, eso que se llama vida literaria, me asaltan constantemente varios conflictos sentimentales, opuestos y dificilísimos, que desde hace dos o tres años tengo en pie, ya bajo el sol, ya bajo la nieve. Aquí descanso.

* Inserto aquí, sin fecharlo, otro fragmento, cuyo tono anímico es parecido al de la carta 19. En ambas afirma estar «tranquilo» en Granada, y se queja del ambiente de Madrid.

A Sebastián Gasch (21)

[Granada, segunda quincena de marzo 1928] *

Mi Queridísimo Sebastiá: Ya habrás recibido el *gallo.* No te he escrito antes porque he trabajado mucho hasta ver andando esta revista. Como soy su padre, no puedo opinar sobre ella. Me enternece. Y desde luego creo que es la revista más *viva* de las jóvenes. Tiene, creo, *unidad* y personalidad. Dime qué te parece. Estamos recibiendo infinidad de opiniones muy buenas, gracias a Dios. Yo *fríamente* le encuentro defectos, pero ya se arreglarán. Te agradecemos en el alma tu artículo sobre Picasso. ¡Gracias, Sebastiá! Haces un bien con esta *alocución* admirable de nuestro gran artista.

El *gallo* en Granada ha sido un verdadero escandalazo. Granada es una ciudad literaria y nunca había pasado nada *nuevo* en ella. Así es que el *gallo* ha producido un ruido como no tienes idea. Se agotó la edición a los dos días y hoy se pagan los números a doble precio. En la Universidad hubo ayer una gran pelea entre gallistas y no gallistas, y en cafés, peñas y casas no se habla de otra cosa. Ya te contaré más cosas. Ahora preparamos el segundo número. Abre marcha tu artículo, como es natural. Tú siempre tendrás el puesto de honor dondequiera que yo esté. Y ahora ¡un abrazo por el manifiesto! *Gallo* se adhiere en el segundo número y haremos un trabajo comentándolo. Abraza a mi querido Montanyá, y dile que he perdido sus señas. Que me las mande. A ti te digo que el manifiesto es alegrísimo, bravo, *vivo,* lleno de gracia y *verdad.*

Constantemente te tengo que dar las gracias. Gracias por tu artículo primoroso de la *Gaceta.* Me estás abrumando. Y no sé cómo te podré pagar nunca ni tu cariño ni tu bondad conmigo. Es demasiado. Yo sólo podré pagarte poniendo todo lo poco de mi talento a tu disposición. Gracias. No hay derecho, querido, a poner mi nombre oscuro en medio de tantos luminosos. Esto no debías haberlo hecho.

Definitivamente publico mis dibujos. Haz el prólogo para ellos.

Recibe un abrazo entrañable de

FEDERICO

A todos los amigos mis afectos. Y un *viva* a *L'Amic de les Arts* por su maravilloso número de Oc. ¡VIVA!

* Posterior al 15 de marzo, día en que se publica el artículo de Gasch («Lorca dibujante») en *Gaceta Literaria.* Posterior también a la publicación del *Manifest Groc,* cuya fecha exacta desconozco. El «maravilloso número de Oc» mencionado en la frase final es el número del 31 de diciembre de 1927, dedicado a la literatura occitana.

A Juan Guerrero (2)

[Membrete:] *gallo*

[marzo 1928]

Sr. D. Juan Guerrero. Calle de la Merced. Murcia.

¡Querido Juan Guerrero! Mil gracias por tu telegrama. Tú siempre el mejor, cónsul general de la poesía. Todos mis amigos agradecidísimos a ese grito de *Verso y Prosa,* papel decano y maestro de las revistas juveniles a quien rinden y rendimos pleitesía. ¡Que no se acabe *Verso y Prosa* nunca! Pronto recibirás el número dos de *gallo* y la edición de Soto de Rojas. Seguirán las sorpresas juveniles. Ya ves, querido Juan, cómo Granada *es* y *será siempre* capital intelectual de Andalucía, aunque el indocumentado (en andalucismo) Pepe Bergamín afirme lo contrario para dar coba a los sevillanos.

Adiós. Recibe un abrazo cariñoso de tu devoto amigo

FEDERICO

gallo te saluda con alas y pico.
¡que me escribas y que me escriba Guillén!

A Melchor Fernández Almagro (50)

[Membrete:] *gallo*

[Granada, marzo 1928]

Querido Melchor: Dentro de breves días nos vamos Paquito y yo a Madrid. Ahora preparamos el segundo número, que será magnífico, y en seguida a Madrid. Deseo verte y darte un abrazo. El gallo un éxito *. Te ruego que escribas en Madrid en algún sitio sobre él. Si tienes lugar, debes hacerlo.

Hasta mi próximo abrazo.

FEDERICO

La edición de Soto de Rojas se empezará a componer en seguida. Está todo preparado ¡Gran labor vamos a hacer en Granada!

* El primer número de *gallo* apareció el 9 de marzo de 1928 (Marie Laffranque, «Bases cronológicas...», p. 426).

A Jorge Guillén (24)

[M: Granada, 24 marzo 1928]

¡Querido Jorge! ¿Qué te pasa? ¿Qué es de tu vida? Aquí estuvo tu amigo el pintor, pero todavía no había recibido tu carta, y él puso una cara muy extraña cuando le dije que no me habías escrito. Yo procuré serle agradable y estuve *hasta excesivo* de puro amable y acogedor, pero el señor se despidió de mí, y al decirle yo y ofrecerle mi ayuda para acompañarle, me dijo: «Yo soy un hombre errante, no tengo casa.» Y se fue. En fin, mi hermano y yo nos quedamos extrañadísimos. A los dos días recibí tu carta. Yo creo que este señor se quedó frío al enterarse de que yo no sabía quién era, y ya no quiso nada conmigo ni con mi hermano. Yo hice todos los esfuerzos posibles por serle agradable, pero él no me dijo *ni su nombre siquiera.* Una cosa muy rara. Yo te envío un abrazo muy grande por tu poema, que es soberbio. Siento que no hayas podido dar la nueva versión, pero es bonito que haya sucedido así. ¿Qué te ha parecido *gallo*? Dime. Hemos enviado un número especial para ti sin anuncios. Contéstame. No sabes las ganas que tengo de verte y estar con Teresita y con Claudio. Ya no los voy a conocer si los veo. ¡Oh si pudiera ir a Murcia aunque fuera andando como este señor pintor! Escríbeme una larga carta, y yo te mandaré *las décimas* que te he dedicado. Saluda a Germaine y a los niños.

Para ti un abrazo fraternal de

FEDERICO

¡Que me escribas!

[Con esta (?) carta, dos fotografías. En el reverso de una de ellas:]

Aquí estoy en lo alto de las Alpujarras donde fui con dos amigos. A mi lado están los guías. Es prodigioso el ambiente.

Sierra Nevada no se ve nunca. ¿Cuándo iremos juntos por estos sitios? Se pierde la noción de Europa. ¿Qué es esto? Yo estoy serio en la foto porque rumio mi sorpresa.

[En el reverso de la otra fotografía:]

Aquí estoy en Pitres, pueblo sin voz ni palomas de la sierra. Crucificado en la Y griega del árbol.

A Melchor Fernández Almagro (51)

[Membrete:] *gallo*

[Granada, fines de marzo 1928] *

Querido Melchorito: Te he escrito. Dos veces. No me has contestado. ¿Qué te pasa? ¿Estás disgustado? ¿Cómo no me escribes?

Un abrazo de

FEDERICO

¡Dinos algo del gallo!

* Sigo la fecha propuesta por G. M. (*op. cit.*, p. 98).

A Sebastián Gasch (22)

[Membrete:] *gallo*

[marzo 1928]

Queridísimo Gasch: Mil gracias por tu carta, tan esperada siempre como bien recibida. Agradecidísimos todos mis amigos a tus elogios y agradecidos por tu colaboración. ¡Mil gracias! ¿Cómo no vamos a estar contentos si vas a colaborar en todos los números? Envía y prepara tu original para el número 3 de *gallo*. Debes hacer un trabajo bueno con reproducciones sobre lo que quieras. Y no temas que sea largo. Tu obligación de *explicar* y alentar el arte de nuestra época es grande.

Los Picassos te los mandaremos en cuanto los recibamos de Madrid, donde están haciendo las reproducciones a todo *tamaño*. En este número *debuta* mi hermano como escritor con una prosa espléndida de puro latina, de puro mediterránea.

En seguida empezaremos la edición del *Paraíso cerrado para muchos, jardines abiertos para pocos,* de nuestro Soto de Rojas. Podemos hacer un gran libro y lo haremos.

Ya sabes que definitivamente y en las ediciones del *gallo* voy a editar mis dibujos. Quiero que lleven un ensayo tuyo y otro de Dalí. Prólogo y epílogo. A Dalí le envié cuatro dibujos estos últimos días. Dile que te los mande por si quieres alguno para *L'Amic de les Arts.*

Escríbeme. Daremos en *gallo* un comentario de vuestro manifiesto. Andalucía y Cataluña se unen por el *gallo* y *L'Amic de les Arts,* aunque haya gente que rabie, patalee y nos quiera comer.

A Dalí (es natural) le ha parecido *gallo* malísimamente y dice que su «San Sebastián» es horroroso. Esto ya lo sabía yo. Su carta es deliciosa y nos hemos muerto de risa por las gansadas que tiene. Pero no tiene razón en absoluto. Es injusto. Y es irrazonable. No se puede llevar un criterio plástico a un arte literario. En esto es admirable, pero está equivocadísimo.

Adiós, Sebastián. Recibe un abrazo cariñoso de

FEDERICO

* Lorca está preparando ya el segundo número de *gallo,* publicado en abril, en fecha desconocida. Después de recibir esta carta, pero antes de recibir la 23. Gasch escribe la que se publica en Antonina Rodrigo, *op. cit.,* páginas 247-8. Dice Lorca, «Los Picassos te los mandaremos en cuanto los recibamos de Madrid, donde están haciendo las reproducciones...». Quizás sean estas las reproducciones de que habla Francisco García Lorca en su carta del 7 de abril a Fernández Almagro.

A Sebastián Gasch (23) *

[M: Granada, 7 abril 1928]

Queridísimo Gasch: Mil gracias por tus cartas. La idea del número dedicado a Andalucía te la agradecemos en el alma. Toda Andalucía lo agradecerá, y, desde luego, cuenta conmigo. Yo buscaré anuncios y todo lo que sea preciso en Granada y donde pueda. Como ves, cada día Andalucía y Cataluña se unen más, gracias a nosotros. Esto es muy importante y no se dan cuenta, pero más tarde se darán. Todavía no ha venido Falla, pero está al llegar y se entusiasmará con la idea tanto como nosotros. Falla es amante de Cataluña y colaborará con verdadera fe. El número puede ser un *escandalazo.* No te he escrito antes por culpa de *gallo* y de la divina Semana Santa andaluza. *Gallo* está al salir y no ha salido por culpa de los clichés. Abre marcha tu artículo. Va creo muy bonito y muy valiente. En este número *reproducimos íntegro* el manifiesto y Joaquín Amigo Aguado, uno de los jóvenes de más valía de Granada y de más entusiasmo y pureza, lo comenta con un elogio a vosotros tres.

Como verás, vuestro manifiesto ha tenido aquí la acogida que se merece.

Esperamos de ti un favor. Recibirás seis o siete reproducciones de Manuel Angeles Ortiz y tú harás un ensayo sobre este pintor para el próximo número. Sobre Manolo *¡no se ha hablado nunca en Granada!* y se le ha despreciado. Es nuestro deber hablar de este gran amigo y pintor. Como tú vas a escribir constantemente, te ruego esto. Espero seré atendido. Tú verás que esto es justo. El artículo de Domingo lo daremos en otro número. Esto es cumplir un *deber* para la revista.

Creo que harás esto con el amor literario que nosotros ponemos en nuestras cosas. Tú sabes ya la historia de

Manolo. Yo te la conté. Cómo salió de Granada y el ansia de pureza y horizonte nuevo que siempre tuvo este muchacho.

Un ensayo más bien largo. El es un discípulo de Picasso. Quizá el primero y al que, desde luego, Picasso quiere más. Puedes hablar, de rechazo, del arte de Picasso. En fin, querido Sebastián, lo que tú quieras.

Pronto recibirás *gallo*. Mientras tanto, un abrazo cariñoso de

FEDERICO

Montanyá me manda un ensayo sobre la joven poesía catalana, que publicaremos íntegro en el tercer número. Es muy bonito.

Saludos a Sabater y a Font.

¡Escríbeme!

Espero que harás el artículo con la prisa debida.

A Melchor Fernández Almagro (52)

[Membrete:] *gallo*

Granada, 7 abril [1928]

Querido Melchorito.

Un encargo. Que creo cumplirás si tienes tiempo y gana. Puedes delegar en otro menos ocupado que tú. Ayala, por ejemplo. Hace veinte días que encargamos a Espasa Calpe unos clichés con urgencia y esta es la hora en que Esp. Calpe ni manda los clichés ni contesta. «Gallo» está hecho y detenido por la informalidad de Esp. Calpe. Te ruego que gestiones este asunto. Estamos desesperados. Muchos recuerdos a tu familia. Un abrazo de

PACO

Un abrazo muy cariñoso de Federico.

Me dijo el sinvergüenza Pepe [Alvarez] Cienfuegos que estabas disgustado conmigo por *una cosa.* Como Antoñito [Alvarez] Cienfuegos es de la redacción, él oyó cómo nosotros dijimos «esto no se publica» y lo contó a su tío y su tío me dijo: «He puesto a Melchorito disgustado contigo para reírme un rato, porque Melchor todo lo toma en serio y es divertido.» De esto como puedes suponer no se ha enterado nadie y yo estoy ya muy cargado con estas cosas de los Cienfuegos, que son muy antipáticos. Esto de que tú estés disgustado conmigo es intolerable y tristísimo.

Un abrazo muy cariñoso, a pesar de que eres pérfido.

FEDERICO

Espero nos harás este asunto.

A Melchor Fernández Almagro (53)

[abril de 1928]

Mi queridísimo Melchorito:

Esta carta solo tiene un objeto y es enviarte un abrazo muy grande desde *la sin par* Granada. Estoy en la Huerta de San Vicente, una preciosidad de árboles y agua clara, con Granada enfrente de mi balcón, tendida a lo lejos con una hermosura jamás igualada.

Me acuerdo de ti con gran cariño y te lo digo. Nada más. ¿Me quieres escribir contándome cosas? ¿Por qué no vienes unos días con nosotros? Mañana comemos todos los amigos y te recordaremos en los brindis.

¿Qué piensas hacer este verano?

Escríbeme y cuéntame cosas.

Un abrazo cariñoso de

FEDERICO

* Gallego Morell (*op. cit.*, p. 44) da la imposible fecha de «primavera 1922»; a juzgar por la peculiarísima grafía de la salutación, debió ser escrita esta carta en los mismos días que la carta siguiente.

A Melchor Fernández Almagro (54)

[Membrete:] *gallo*

[Granada, ¿mayo? 1928] *

Melchorito queridísimo: Hacemos el tercer número de «gallo». Esperamos tus instrucciones. ¿Mandas algo? Habla. Ordena. Manda. El gallo es tuyo. El gallo te rodea como tus amigos y admiradores de la Granja.

Melchor: ¡quien fuera Melgarejo!

Escríbeme, pero no me escribas esas cartas de garrapatos que me envías. Cartas buenas.

Cuéntame cosas. Un abrazo de tu

FEDERICO

¡Siempre serás mi confesor!

* De fecha incierta. Es posible que sea de mayo de 1928, como escribe Gallego Morell (*op. cit.*, p. 99). G. M. sugiere que Melgarejo es «posiblemente el poeta José Manuel Melgarejo» (p. 99, nota 3).

A Melchor Fernández Almagro (55)

[antes de 30 junio 1928] *

[con lápices de colores]

Querido Melchor:

Te envío mi adhesión más cariñosa para el homenaje de Gregorio Prieto.

FEDERICO GARCÍA LORCA

* Según G. M. (*op. cit.*, p. 100) la adhesión fue mandada a propósito de un «banquete de despedida ofrecido a Gregorio Prieto... con motivo de su marcha a Roma y celebrado en Madrid el día 30 de junio de 1928».

A Melchor Fernández Almagro (56)

[Tarjeta postal: Catedral de Zamora, interior]

[M: Zamora, 10 julio 1928]

Querido Melchorito:

Mi buen Melchorante. Un abrazo muy cariñoso de Federico, que no me importa que seas patagónico para quererte.

[FEDERICO]

Querido... y respetado (¡siempre respetado!) Melchorito. Federico es un vaina, ¿verdad? Esta noche lo comprobaremos en su actuación de conferenciar... Un abrazo.

ANTONIO RUBIO *

* No sé a qué conferencia, o lectura de poesías, podría referirse Antonio Rubio Sacristán.

A Jorge Zalamea (1)

[*fragmento*]

[verano de 1928]

Sentiría
que
te
hubieses
disgustado
por
la carta me te he mandado. ¿Es que un poeta no puede regañar a sus amigos díscolos? Vamos. No lo espero.

Sería tonto. Y tú no eres tonto. ¿Qué sabes tú de lo que yo estoy sintiendo? No me hubiera quedado tranquido sin decirte lo que te dije.

Pero bien te demostré que no estaba enfadado.

Adiós.

Ahora hago un poema que se llama «Academia de la rosa y el frasco de tinta». Es un poema cruel pero limpio. Dalí viene en septiembre. En su última carta me decía: «Tú eres una borrasca cristiana y necesitas de mi paganismo. La última temporada de Madrid te entregaste a lo que no debiste entregarte nunca. Yo iré a buscarte para hacerte una cura de mar. Será invierno y encenderemos lumbre. Las pobres bestias estarán ateridas. Tú te acordarás que eres inventor de cosas maravillosas y viviremos juntos con una máquina de retratar.»

Es así este maravilloso amigo mío.

¿Tú no vienes a Granada? ¡Ven!

Adiós. Otro adiós más sensible.

¡Adiós.

Y más lejano

FEDE
RI
CO

* Es, probablemente, la primera de la serie de las cartas a Zalamea. La frase «Dalí viene en septiembre» nos sitúa, con toda seguridad, en agosto o antes. Por otra parte, ¿de qué «temporada de Madrid» puede estar hablando Dalí en la carta que Lorca cita a Zalamea?

A Jorge Zalamea (2)

[Granada, ¿septiembre?, 1928] *

Mi querido Jorge: Por fin he recibido tu carta. Ya te había escrito una y la he roto.

Has debido pasar un mal verano. Ya afortunadamente entra el otoño, que me da la vida. Yo también lo he pasado muy mal. Muy mal. Se necesita tener la cantidad de alegría que Dios me ha dado para no sucumbir ante la cantidad de conflictos que me han asaltado últimamente. Pero Dios no me abandona nunca. He trabajado mucho y estoy trabajando. Después de construir mis Odas, en las que tengo tanta ilusión, cierro este ciclo de poesía para hacer otra cosa. Ahora tengo una poesía de *abrirse las venas,* una poesía *evadida* ya de la realidad con una emoción donde se refleja todo mi amor por las cosas y mi guasa por las cosas. Amor de morir y burla de morir. Amor. Mi corazón. Así es.

Todo el día tengo una actividad poética de fábrica. Y luego me lanzo a lo del hombre, a lo del andaluz puro, a la bacanal de carne y de risa. Andalucía es increíble. Oriente sin veneno. Occidente sin acción. Todos los días llevo sorpresas nuevas. La bella carne del Sur te da las gracias después de haberla pisoteado.

A pesar de todo, yo no estoy bien ni soy feliz. Hoy hace un día gris en Granada de *primera calidad.* Desde la Huerta de San Vicente (mi madre se llama Vicenta) donde vivo, entre magníficas higueras y nogales corpulentos, veo el panorama de sierras más bello (por el aire) de Europa.

Como ves, mi querido amigo, te escribo en el papel de «Gallo» porque ahora hemos reanudado la revista y estamos componiendo el tercer número.

Creo que será precioso.

Adiós, Jorge. Recibe un abrazo cariñoso de

FEDERICO

¡Que estés alegre! Hay necesidad de ser alegre, el *deber* de ser alegre. Te lo digo yo, que estoy pasando uno de los momentos más tristes y desagradables de mi vida.

Escríbeme.

* Por fin he recibido tu carta», escribe Lorca, aludiendo a un silencio que explicaría, a su vez, el comienzo de la carta anterior. «Has debido pasar un mal verano. Ya afortunadamente entra el otoño... Yo también lo he pasado muy mal.» Estas palabras sugieren una fecha en septiembre, mes en que reanuda su labor en la revista *gallo* (cf. el párrafo 5 de esta carta y el párrafo 5 de la carta 25 a Sebastián Gasch). Cabe preguntar qué quiere decir Lorca con las palabras «Después de construir mis *Odas...*». *No* quiere decir que las haya terminado. En la entrevista que se publica el 15 de diciembre de 1928 en *La Gaceta Literaria* (O. C., II, pp. 968-7), el libro de *Odas* figura entre los que está *preparando,* y no los que ha *escrito.* No sería aventurado pensar que con las palabras «una poesía de *abrirse las venas,* una poesía *evadida* ya de la realidad [etc.]» está pensando Lorca en «poemas» como «Suicidio en Alejandría» y «Nadadora sumergida» que manda, en este mismo mes de septiembre, a Sebastián Gasch.

A Sebastián Gasch (24)

[¿septiembre de 1928?] *

Queridísimo Sebastià: No quiero entrar en explicaciones de por qué no te he escrito. Pero no te he escrito. Perdóname. He recordado siempre nuestra maravillosa amistad. Pero no te puedes hacer idea lo que he pasado de cosas. Mi estado espiritual no es muy bueno, que digamos. Estoy atravesando una gran crisis *sentimental* (así es) de la que espero salir curado. Dentro de unos días te enviaré mi libro. Y a los otros amigos. Salúdalos a todos.

Esta carta no es más que un grito y un abrazo estrecho de

FEDERICO

Ya te enviaré, si me escribes, la primera parte de la «Oda al Sacramento» que hago ahora.

* Se alude a una interrupción en la correspondencia quizás desde abril (carta 23) hasta septiembre. El libro que Lorca piensa mandar «dentro de unos días» es, probablemente, el *Primer romancero gitano,* publicado en julio. Cf. la carta 25 («Mi libro espero que dentro de unos días lo tendrás»).

A Sebastián Gasch (25)

[septiembre 1928] *

Querido Sebastián: Recibí tu carta con una gran alegría. Mis dibujos gustan a un grupo de gente muy sensible, pero es que se conocen poco. Yo no me he preocupado de reproducirlos y son en mí una cosa privada. Si no fuera por vosotros, los catalanes, yo no habría seguido dibujando. Pienso hacer una exposición en Madrid, ¿qué te parece? ¿Y si se hiciera un libro?

Quiero mandarte para *L'Amic* unos dibujos y un poema inédito. ¿Te parece?

Empiezo a trabajar. Estoy terminando la *Oda al Santísimo Sacramento,* que me parece de una gran fuerza expresiva y de factura original y novísima. Hago también la *Oda a Sesostris, el Sardanápalo de los griegos,* llena de humor y llanto y ritmo dionisíaco.

Estoy muy *baqueteado* y maltratado de pasiones que tengo que vencer, pero me empiezo a encontrar libre, solo, en mi propia creación y esfuerzo. Ya te enviaré trozos de mis nuevos poemas, y mi libro espero que dentro de dos o tres días lo recibirás.

El *gallo* apenas he llegado yo a Granada quiero que salga inmediatamente. Envíanos el artículo sobre [Manuel] Angeles Ortiz.

Y otra vez, ¡viva el *gallo*! Queremos hacer un número dedicado todo [a] Dalí. Este va a venir a Granada y le debemos este homenaje. Aconséjale tú en tus cartas que venga. Dile que le hace falta, como es verdad, una visita a este importante Sur.

No te puedes imaginar con qué alegría le esperamos.

Mi silencio, querido Gasch, no me brota del corazón.

Yo no te olvido nunca. Ya sabes que en todas las cosas que hago te tengo presente.

Saluda a los amigos, escríbeme. Y recibe un fuerte abrazo de

FEDERICO

Saluda a tu señora madre.

* Esta carta tiene que ser anterior a la 26 (esta última con matasellos del 8 de septiembre), pues en la 25 pide a Gasch que le mande el artículo sobre Manuel Angeles Ortiz, mientras que en la 26 ya lo ha recibido. Podría ser de la primera semana de septiembre. Ya acabadas las vacaciones, Lorca se encuentra de nuevo en Granada («apenas me he llegado...»).

A Jorge Zalamea (3)

[*fragmento*]

[1928] *

Yo hablo siempre igual y esta carta lleva versos míos inéditos, sentimientos de amigo y de hombre que no quisiera divulgar. Quiero y retequiero mi intimidad. Si le temo a la *fama estúpida* es por esto precisamente. El hombre famoso tiene la amargura de llevar el pecho frío y traspasado por linternas sordas que dirigen sobre él *los otros* [...]

Estoy enfrascado en la «Oda al Santísimo Sacramento del Altar». Veremos a ver. Es dificilísima. Pero mi fe la hará.

> *Debajo de las alas del dragón hay un niño*
> *y en la luna que cruje, caballitos de sangre.*
> *El unicornio quiere lo que la rosa olvida*
> *y el pájaro pretende lo que las aguas vedan.*
> *Solo tú, Sacramento de luz en equilibrio,*
> *aquietabas la angustia del amor sin cadenas.*
> *Solo tú, Sacramento, manómetro que salva*
> *corazones lanzados a quinientos por hora* *.

Este verso, «El unicornio quiere lo que la rosa olvida», me gusta mucho. Tiene un encanto poético indefinido de conversación borrada.

* Los versos citados son de la segunda parte («Mundo») de la Oda. No hay, desde luego, ninguna certidumbre de que Federico compusiera esta sección después que la primera, ni de que la Oda tuviera la misma estructura en estos días que la que tendría después. Pero de ser así, esta carta sería posterior a la carta 24 a Gasch, donde le ofrece «la primera parte».

A Sebastián Gasch (26)

[M: 8 septiembre 1928]

Querido Gasch: Me fui a la sierra y he vuelto hoy. Perdona mi tardanza. Hace días no voy a Granada. Hoy he enviado por sobres para enviarte las fotos de Domingo y no hay. Mañana lo haré. También te enviaré los Picassos. Perdona.

Te mando dibujos. Tú eres la única persona con quien hago esto porque me siento muy comprendido por ti.

Si quieres, publica algunos en *L'Amic*. Y desde luego, dime qué te parecen. Con sinceridad.

Lo que estamos entusiasmados es con tu artículo sobre Manuel Angeles, que es preciosísimo. Lleno de *juicio,* de ponderación, de armonía. Y con ese entusiasmo tuyo tan admirable que sólo tienen los críticos auténticos, los que dan la batalla y nadan sólo en un agua.

Gracias. Lo publicaremos con todo cuidado y perfección.

Yo trabajo con gran amor en varias cosas de géneros muy distintos. Hago poemas de todas clases. Ya te enviaré. Si te gustan los dibujos dime cuál o cuáles piensas publicar y te mandaré sus poemas correspondientes. En seguida lo haré.

Ayer me escribió una carta muy larga Dalí sobre mi libro (¿lo has recibido ya? Yo te lo mandé hace días). Carta aguda y arbitraria que plantea un pleito poético interesante. Claro que mi libro no lo han entendido los putrefactos, aunque ellos digan que sí.

A pesar de todo, a mí ya no me interesa nada o casi nada. Se me ha muerto en las manos de la manera más tierna. Mi poesía tiende ahora otro vuelo más agudo todavía. Me parece que un vuelo personal.

Tengo una gana muy grande de estar con vosotros.

No te olvides de recomendar a Dalí que venga por Granada. Es preciso que nos veamos para muchas cosas. Además, tenemos que preparar un número de Dalí, y si tenemos dinero quizá de toda la pintura catalana moderna y la andaluza. Para demostrar cómo sólo estas dos regiones mediterráneas triunfan en la península.

Escríbeme en seguida.

Saluda a todos los amigos cariñosamente. Dile a Luis Montanyá que le escribiré y si ha recibido mi libro.

Adiós, Sebastián. Recibe un cariñoso abrazo de tu mejor

FEDERICO

¡Contesta!

A Sebastián Gasch (27)

[septiembre 1928] *

Mi querido Sebastián: Ahí te mando los dos poemas. Yo quisiera que fueran de tu agrado. Responden a mi nueva manera *espiritualista,* emoción pura descarnada, desligada del control lógico, pero, ¡ojo!, ¡ojo!, con una tremenda lógica poética. No es surrealismo, ¡ojo!, la conciencia más clara los ilumina.

Son los primeros que he hecho. Naturalmente, están en prosa porque el verso es una ligadura que no resisten. Pero en ellos sí notarás, desde luego, la ternura de mi actual corazón.

Siempre te agradezco los elogios a mis dibujos. Debo publicar un libro.

Insiste con Dalí para que venga a Granada.

Yo, como siempre, tengo una enorme gana de ir a Barcelona y estar con vosotros, contigo, paseando por las Ramblas, por el prodigioso puerto, por los merenderos de Montjuit [*sic*], donde tan bien lo pasamos.

Escríbeme. Los dibujos que publicáis te quedas tú con ellos. Te los regalo. Y te vas haciendo una colección de pequeñas tonterías.

Adiós, Sebastián. Recibe un abrazo entrañable de

FEDERICO

* Posterior a la 26, en que dice «Hago poemas de todas clases. Ya te enviaré. Si te gustan los dibujos dime cuál o cuáles piensas publicar y te mandaré sus poemas correspondientes». En efecto, a la carta 27 adjunta dos poemas, probablemente los que aparecieron en *L'Amic de les Arts* en el número del 31 de septiembre («Nadadora sumergida» y «Suicidio en Alejandría»).

A Jorge Zalamea (4)

[Membrete:] *gallo*

[Granada, ¿finales de septiembre?, 1928]

[Dibujo:] Vista general de la Alhambra. Federico García Lorca. 1928.

Querido Zalamea (don Jorge): Ahora es la hora de visitar la *bella ciudad* de Granada.

Todo el día ha llovido y ha chapoteado la lluvia en maíces y cristales. El otoño ha llegado. Ya la población está animadísima. La Universidad abre sus puertas. La Alhambra y los jardines están en su justo punto poético. Dentro de cuatro días comenzarán a dorarse las hojas.

¿Tú en serio pensabas venir? ¿O fue puro juego y deseo de este viaje? Hasta ahora yo no te había dicho que vinieras porque el verano es la peor hora de esta ciudad. Si pensabas venir, puedes contemplar ya esta maravilla. Claro que el invierno es su mejor vestido. Granada es la ciudad más económica de Andalucía. Se puede vivir en ella relativamente por poco dinero. ¿Qué te parece?

Contesta. Contéstame.

Adiós. Un abrazo cariñoso de tu mejor

FEDERICO

[Dibujo:] Río Dauro.

A Enrique Durán

[Granada, 1928]

[Dibujo: rostros superpuestos, con dedicatoria:]
Federico García Lorca. 1928. A Enrique Durán.

(No cabe duda que este dibujo es enternecedor. Está al borde de la cursilería, pero también está al borde de las lágrimas.)

Querido Enrique Durán: Agradezco en el alma sus pruebas de amistad. Le envío estos dibujos. No sé si le servirán para el libro. Yo de litografías y estampado no sé una palabra. Siento que no estén hechos con tinta china, pero la tinta se me ha acabado. Vea usted en ellos mi buen deseo. Si no le sirven yo no tengo inconveniente, con toda confianza, de enviarle otros.

Adiós, amigo Durán: Reciba usted un cordial saludo de su mejor

FEDERICO
Granada — 1928

A Jorge Zalamea (5)

[octubre 1928] *

¡Hola, querido Zalamea!

¿Recibiste mi carta con la vista de Granada? ¿Por qué no me has contestado? ¿Tienes algún resentimiento con mi persona? ¿Qué te pasa?

No te entiendo.

¿No piensas venir? Yo en cuanto termine mis trabajos iré a Madrid, «Gallo» se está tirando. Yo dentro de unos días inauguro el Ateneo de Granada, en compañía de Falla. ¿Por qué no vienes a oírme?

Adiós, Jorge. Recibe el saludo cariñoso de

FEDERICO

* Data de principios de octubre: Lorca inauguró la temporada en el Ateneo el día 11 de octubre, al leer su conferencia sobre «Imaginación, inspiración, evasión» (J. Comincioli, *F. G. L.*, p. 169).

A Melchor Fernández Almagro (57)

[Dibujo (pierrot y luna) firmado:] Federico García Lorca 1928

[otoño de 1928] *

Querido Melchorito:

Te escribí y no me has contestado. Te has portado mal. Ahora yo te escribo esta carta con dibujo para ver si tú me contestas una carta bien larga dándome noticias de tu veraneo y noticias de los amigos que hayas visto y mil cosas que de seguro me interesarán en mi aislamiento.

He trabajado intensísimamente. Tengo casi hecho mi libro de Odas, polo opuesto al Romancero y creo que de más agudeza lírica. He escrito *por los codos.* Tengo infinidad de poemas sueltos, dibujos, y prosas. Tengo ganas de leértelos. Escríbeme y cuéntame cosas y cosas tuyas. Ya ha leído tus preciosos artículos. Creo que ya tú no me estimas.

¡Quién fuera Melgarejo! ¡Quién fuera Ernestina!

¡Quién fuera Maruja Mallo!

Adiós, Melchor. Saluda a los amigos y recibe un abrazo cariñoso de tu

FEDERICO

* G. M. fecha esta carta en septiembre de 1928 (*op. cit.*, p. 100). Identifica a «Ernestina» con la poetisa Ernestina de Champourcin.

A Sebastián Gasch (28)

[finales de octubre, principios de noviembre 1928] *

¡Mi querido Sebastià!

Un abrazo muy fuerte. Estoy trabajando mucho.

Te envío este programa de una fiesta que celebramos en el Ateneo y que fue un escandalazo.

Cuando yo proyecté y elogié los cuadros de Miró, se armó una cosa gorda, pero yo *dominé* al público y hasta los hice aplaudir.

El *gallo* se está retrasando por muchas cosas.

También proyecté cosas de Dalí, del que hice un gran elogio.

Espero que pronto podré ir a Barcelona. Tengo ya verdaderos deseos de verte y ver a los amigos.

Saluda a todos con gran cariño.

Para ti un fuerte abrazo de

FEDERICO

¡Escríbeme!

* Posterior al 27 de octubre, «noche de *gallo*», velada en que Lorca leyó su «Sketch de la nueve pintura». El mencionado programa se publica en facsímil en Antonina Rodrigo, *op. cit.*, p. 249, pero la mala reproducción no deja leer las anotaciones que Lorca añadió a mano.

A Sebastián Gasch (29)

La verdad es lo vivo y ahora quieren llenarnos de muertos y de aserrín de corcho. El disparate, si está vivo, es verdad; el teorema, si está muerto, es mentira. ¡Dejad que corra el aire! ¿No te angustia la idea de un mar con todos los peces atados con cadenita a un solo punto, sin conciencia? No discuto el dogma. Pero no quiero ver el punto donde se acaba «ese dogma».

* Fragmento de fecha incierta.

A Jorge Zalamea (6)

[otoño 1928] *

Querido Jorge: He recibido tu carta. Yo creí que estabas molesto. Celebro con todo mi pobrecito corazón (este desdichado hijo mío), que estés como antes, como la primera vez. Lo pasas mal y no debes. Dibuja un plano de tu deseo y vive en ese plano dentro siempre de una norma de belleza. Yo lo hago así, querido amigo... ¡y qué difícil me es!, pero lo vivo. Estoy un poco en contra de todos, pero la belleza viva que pulsan mis manos me conforta de todos los sinsabores. Y teniendo conflictos de sentimientos muy graves y estando *transido* de amor, de suciedad, de cosas feas, tengo y sigo mi norma de alegría a toda costa. No quiero que me venzan. Tú no debes dejarte vencer. Yo sé muy bien lo que te pasa.

Estás en una triste edad de duda y llevas un problema artístico a cuestas, que no sabes cómo resolver. No te apures. Ese problema se soluciona solo. Una mañana empezarás a ver claro. Lo sé. Me apena que te pasen cosas malas. Pero debes aprender a vencerlas sea como sea. Todo es preferible a verse comido, roto, machacado por ellas. Yo he *resuelto* estos días con voluntad uno de los estados más dolorosos que he tenido en mi vida. Tú no te puedes imaginar lo que es pasarse noches enteras en el balcón viendo una Granada nocturna, *vacía* para mí y sin tener el menor consuelo de nada.

Y luego... procurando constantemente que tu estado no se filtre en tu poesía, porque ella te jugaría la trastada de abrir lo más puro tuyo ante las miradas de los que no deben *nunca* verlo. Por eso, por disciplina, hago estas *academias* precisas de ahora y abro mi alma ante el símbolo del Sacramento, y mi erotismo en la Oda a Sesostris, que llevo mediada.

Te hablo de estas cosas, porque tú me lo pides; yo no hablaría más que de lo que, exterior a mí, me hiere de lejos de una manera segura y sapientísima.

¡Pero me defiendo! Soy más valiente que el Cid (Campeador).

Esta Oda a Sesostris te gustará, porque entra dentro de mi género *furioso*. La Oda al Sacramento está ya casi terminada. Y me parece de una gran intensidad. Quizá el poema más grande que yo haya hecho.

La parte que hago ahora (tendrá más de trescientos versos en total) es «Demonio, segundo enemigo del alma», y eso es fuerte.

Honda luz cegadora de materia crujiente,
luz oblicua de espadas y mercurio de estrella,
anunciaban el cuerpo sin amor que llegaba
por todas las esquinas del abierto domingo.

Forma de la belleza sin nostalgia ni sueño.
Rumor de superficies libertadas y locas.
Médula de presente. Seguridad fingida
de flotar sobre el agua con el torso de mármol.

Cuerpo de la belleza que late y que se escapa.
Un momento de venas y ternura de ombligo.
Amor entre paredes y besos limitados,
con el miedo seguro de la meta encendida.

Bello de luz, oriente de la mano que palpa.
Vendaval y mancebo de rizos y moluscos,
fuego para la carne sensible que se quema,
níquel para el sollozo que busca a Dios volando.

Me parece que este Demonio es bien Demonio. Cada vez esta parte se va haciendo más oscura, más metafísica, hasta que al final surge la belleza cruelísima del enemigo, belleza hiriente, enemiga del amor.

Adiós. Te he dado la lata. Un abrazo muy cariñoso de

FEDERICO

Escríbeme.

* Puede suponerse que Zalamea no contestó inmediatamente a las cartas 4 y 5. El fragmento de la «Oda al Sacramento» es ya casi idéntico al que aparecería en diciembre de 1928 en la *Revista de Occidente.*

A Jorge Guillén (25) *

Jorge Guillén, Universidad

APRUEBA AGUSTIN PELAEZ PASE LO QUE PASE PRIMER FAVOR ABRAZOS NIÑOS — FEDERICO

* En la fotocopia que tengo de este telegrama, no aparece ninguna fecha; no sé por qué Guillén lo data 24 mayo 1927 (*op. cit.*, p. 134). El libro que Lorca tenía empaquetado hacía dos meses (carta 26) no era *Canciones,* que apareció a mediados de mayo de 1927, sino el *Primer romancero gitano,* publicado en julio de 1928. La «sesión *gallo* que resultó deliciosa» fue, sin duda, «noche de *gallo*», que tuvo lugar en el Ateneo de Granada el 27 de octubre de 1928. El programa se conserva todavía, junto con las cartas, en la biblioteca de Harvard. Los exámenes mencionados en el telegrama y en la carta 26 son, pues, los de otoño de 1928.

A Jorge Guillén (26)

[finales de octubre, principios de noviembre 1928] *

Mi querido Jorge: Hace dos meses que tengo mi libro empaquetado para mandártelo. Soy una cumbre de pereza. Pero te recuerdo siempre como lo mejor de lo mejor, que eres tú.

Deseo con toda mi alma verte y cambiar impresiones sobre tantas cosas que en dos días no acabaríamos.

Ante todo, perdóname el estúpido telegrama que te puse. Imprudente telegrama que no fue hecho según mi voluntad, sino según la voluntad de *Viñuales*. Este simpático D. Agustín Viñuales, catedrático de Economía, que tú conoces, tenía interés en la persona que tú habías de examinar. Pidió una recomendación a Salinas y éste le dijo, «Que se la dé Lorca, que tiene más *mano* con Guillén que yo». Entonces Viñuales me la pidió a mí y *él mismo* redactó el telegrama. Yo soy débil y lo dejé poner. Por otra parte, me halagaba mucho la frase de Salinas. Perdóname. Yo sé que esto no se debe hacer, pero considera que no tengo culpa ninguna y que era un antiguo profesor mío quien me lo pedía. Yo quiero que tú te percates de mi actitud y sabrás dispensar este *abuso*.

He trabajado mucho mucho. Cosas muy distintas, y creo, de inspiración directa. Ahora me parece que empiezo [a] vislumbrar la calidad poética que ansío.

Notarás que todo el mundo nos sigue citando juntos. Guillén y Lorca. Esto me produce verdadero regocijo. A pesar de los envidiosos arietes que nos golpean, nosotros seguimos y *seguiremos* manteniendo nuestros puestos de *capitanes* de la nueva poesía de España. ¡Chócala! Tú y yo tenemos carácter, personalidad, algo inimitable que nos sale de dentro, un *acento propio*, por la gracia de Dios.

Saluda a Germaine cariñosamente, a mi preciosa Teresita, al niño y a los amigos.

Tú recibe un abrazo de tu siempre leal

FEDERICO

Te mando el programa de una sesión *gallo* que resultó deliciosa y en el que el grupo de granadinos jóvenes demostró una vez más que Granada es la indiscutible capital literaria de Andalucía.

¡Saludos a Guerrero!

¡Escríbeme! ¡Escríbeme!

* Véase la nota al telegrama anterior.

A Melchor Fernández Almagro (58)

[Granada, octubre o noviembre 1928] *

Queridísimo Melchorito: Mil gracias por tu admirable artículo, que es seguramente lo mejor que se ha hecho de mi libro.

Me ha gustado en extremo y me ha satisfecho tu modo de apreciar, tu *sentido común,* que casi no tiene ninguna persona que ejerce la crítica.

Gracias, Melchor.

Te mando el programa de la velada que celebramos y que fue discutidísima y preciosa.

Recuerdos a los amigos.

Recibe un abrazo de

FEDERICO

Dentro de breves días te veré.

* Lorca se refiere a la reseña de M. F. A. de *Primer romancero gitano,* publicada en la *Revista de Occidente* en septiem-

bre de 1928 (núm. LXIII). A esta carta Lorca adjuntaría un programa de «noche de *gallo*», velada celebrada el 27 de octubre de 1928.

A Juan Guerrero Ruiz (3)

[diciembre 1928]

Queridísimo Juan Guerrero: Te envío mis poemas corregidos. Lo tachado no sirve.

Procura que salgan bien. Te envío tres dibujos. Dalos a su tamaño y bien colocados. Los títulos definitivos van al dorso con lápiz rojo.

Da los tres. Si es posible.

¡Felices Pascuas! Ya hablaremos largo rato cuando nos encontremos.

Adiós. Recibe un abrazo cariñoso de tu siempre leal amigo.

FEDERICO

Los dibujos debes cuidarlos para que, al ser reproducidos, las líneas no pierdan la *emoción,* que es lo *único* que tienen. Deben salir *exactos.* Recomienda esto mucho a los grabadores.

La degollación [del Bautista] va dedicado a Lluis Montanyá. Ponlo tú.

A Jorge Guillén (27)

[Tarjeta postal: Granada. Generalife. Jardines]

[M: Granada, 27 diciembre 1928]

Sr. D. Jorge Guillén (poeta). Ateneo. Valladolid.

Queridísimo Jorge: Un abrazo cordial de amistad y admiración ferviente de Federico. Ya te escribiré. Saluda a Germaine y a los niños. Felicísimo Año Nuevo. Año para ti de ruiseñor insomne y luna sin tacha. Año de cosecha y frescura. Tu libro estupendo circula por Granada. Rima con la nieve y con el cielo duro del frío. Bellísimas palabras las tuyas, mágico poema el tuyo. IRREAL poesía la tuya. Realísima virtud *planetaria* la tuya.

¡Abrazos, abrazos!

FEDERICO

A Melchor Fernández Almagro (59)

[Tarjeta postal: Alhambra]

[M: Granada, 14 mayo 1929]

Sr. D. Melchor Almagro, Alcalá, 166. Madrid.

Con Alfredo Condon te envío un fuerte abrazo.

FEDERICO

ALFREDO ENRIQUE G[ÓMEZ] ARBOLEYA

A su familia (2)

[*fragmento*]

[1929] *

Mi vida es muy sencilla. Paquito [García Lorca] estudia bastante y tiene un gran porvenir. Los dos tenemos un gran porvenir si Dios nos ayuda.

* Apareció este fragmento en Francisco García Lorca, *Federico y su mundo* (Madrid: Alianza Editorial, 1980, p. xxiv.

Explica Mario Hernández, editor de dicho libro, que «Francisco debía estar entonces preparando sus oposiciones al Cuerpo Diplomático, en tanto que Federico trabaja en los ensayos del *Perlimplín,* cuyo estreno impidió ese año la censura primorriverista».

A Carlos Morla Lynch (1)

[Granada, a principios de junio de 1929]

Queridísimo Carlos (mi hijo): Eres como siempre encantador. Perdona si no te he escrito. Pero he estado muy preocupado con mi viaje. Carlos: el sábado por la noche salgo de Granada para estar en Madrid el domingo en la mañana.

Estoy en Madrid dos días para ultimar unas cosas y en seguida salgo para París-Londres, y allí embarcaré a New York. ¿Te sorprende? A mí también me sorprende. Yo estoy muerto de risa por esta decisión. Pero me conviene y es importante en mi vida. Pararé en América seis o siete meses y regresaré a París para estar el resto del año. New York me parece horrible, pero por eso mismo me voy allí. Creo que lo pasaré muy bien. El viaje lo hago con mi gran amigo Fernando de los Ríos, viejo maestro mío y persona encantadora en extremo, que me allanará las primeras dificultades, ya que, como tú sabes, yo soy un inútil y un tontito en la vida práctica.

Me encuentro muy bien y con una nueva inquietud por el mundo y por mi porvenir. Este viaje me será utilísimo. Mi papá me da todo el dinero que necesito y está contento de esta decisión mía.

No te quiero decir la gana, el *hambre* que tengo de

darte un abrazo (porque te quiero muchísimo), y saludar a Bebé y a tu Carlitos.

Tengo además un gran deseo de escribir, un amor irrefrenable por la poesía, por el verso puro que llena mi alma todavía estremecida como un pequeño antílope por las últimas brutales flechas *.

Pero... ¡adelante! Por muy humilde que yo sea, creo que *merezco* ser amado.

Mañana se reúnen todos mis amigos para despedirme. Es una fiesta organizada por los chicos de la Universidad y no se permitirá la entrada a personas mayores de treinta años, en venganza de que al banquete que me dieron últimamente no pudieron ir porque costaba 30 pesetas. El precio de la tarjeta es 5 pesetas y será un rato inolvidable.

No me sustraigo a enviarte una prueba del espiritualísimo retrato que me he hecho para el pasaporte. Bordea la luz del asesinato y la esquina nocturna donde el delicado carterista guarda el fajo de billetes.

Por capricho del objetivo surge detrás de mi espalda un arpa blanda como una medusa y todo el ambiente tiene un tic finito de ceniza de cigarro.

Guárdalo o rómpelo. Es un Federico melancólico el que te mando y el Federico que te escribe es ahora un Federico *Fuerte.*

Estoy contento. Y espero abrazarte pronto. ¡Hasta el domingo!

Abrazos al gran amigo Alfredo.

FEDERICO

¡Muera el [......] que es un puerco espín!

* En el texto de *El Tiempo* y en el de *Insula* se omite la frase «mi alma *todavía estremecida como un pequeño antílope por las últimas brutales flechas*».

A Carlos Morla Lynch (2)

[A bordo del S.S. Olympic, 19 a 25 de junio de 1929] *

...Me siento deprimido y lleno de añoranzas. Tengo hambre de mi tierra y de tu saloncito de todos los días. Nostalgia de charlar con vosotros y de cantaros viejas canciones de España. No sé para qué he partido; me lo pregunto cien veces al día. Me miro en el espejo del estrecho camarote y no me reconozco. Parezco otro Federico...

* Según Daniel Eisenberg («A Chronology of Lorca's Visit to New York and Cuba», *Kentucky Romance Quarterly,* 1975, p. 235), Lorca se embarcó en Southampton en el S. S. Olympic el 19 de junio, llegando a Nueva York el día 25.

A Philip Cummings

[6 ó 7 julio 1929]

Querido amiguito mío:

Recibí tu carta con gran alegría. He encontrado ya mi sitio en New York.

Deseo verte muy pronto y pienso constantemente en ti, pero me he matriculado, por consejo de Onís el profesor, en la Universidad de Columbia, y yo no puedo por esta causa ir contigo hasta dentro de seis semanas. Si entonces tú sigues queriendo, yo iré a tu lado encantado.

Si para entonces tú no estás en tu casa, te ruego vengas a verme a New York.

¿Te parece bien? Escríbeme con toda confianza si esto puede ser.

Estoy confundido por tu gran amabilidad enviándome el dinero para el billete, y desde luego si no se arregla mi viaje dentro de seis semanas te lo devolveré guardándote siempre gratitud y lealtad hidalga, que es todo lo mejor que puede dar un español.

Escríbeme en seguida, querido amigo, y dime si te parece bien el retraso de mi viaje. Yo debo hacer, ya que estoy matriculado, este curso de inglés.

Luego yo pasaría unos días contigo y serían deliciosos para mí. Espero que tú me contestarás y no te olvidarás de este poeta del Sur perdido ahora en esta babilónica, cruel y violenta ciudad, llena por otra parte de gran belleza moderna.

Vivo en Columbia y mis señas con éstas:

Mister Federico G. Lorca
Furnald Hall
Columbia University
New York City

Espero que tú me contestarás en seguida. Adiós, queridísimo, recibe un abrazo de

FEDERICO

Saluda con todo respeto a tus padres.

A Concha e Isabel García Lorca

[M: 30 agosto 1929] *

Srta. Conchita García Lorca. Acera del Casino, 31.
Granada, Spain.

[Remite:] *c/o C. Cummings, Eden Mills, Vt.*

Queridísimas Conchita e Isabelita:

Antes de marchar de estos bosques os escribo en una corteza de árbol que he arrancado yo mismo. Es un bonito papel. Recibí carta de papá y vuestra. Espero que vosotras habréis recibido las mías desde Eden Mills. Ya te enviaré los dibujos.

Saludos a Manolo y a otros.

Besos a los padres y a Paquito.

Besos a vosotras de

FEDERICO

Ahora iré con Angel del Río porque su mujer es la que me enseña más inglés. Y en seguida a John-Jay Hall, Columbia University donde viviré el curso.

Abrazos. Sigo buenísimo. Las comidas me prueban bien.

Esta carta se titula «Otoño en New England».

A Angel del Río

[Eden Mills, Vermont, agosto 1929]

Queridísimo Angel: Te escribo desde Eden Mills. Muy divertido. Es un paisaje prodigioso, pero de una melancolía infinita.

Una buena experiencia para mí. Ya te contaré. Hoy sólo quiero que me digas la manera que tengo de encontrarte para marchar con vosotros dentro de unos días.

No cesa de llover. Esta familia es muy simpática y llena de un encanto suave, pero los bosques y el lago me sumen en un estado de desesperación poética muy difícil de sostener. Escribo todo el día y a la noche me siento agotado.

Angel: escribe a vuelta de correo cómo podré encontrarte. Cuando pienso que puedo *beber* en la casa donde vives me pongo muy alegre.

Ahora cae la noche. Han encendido las luces de petróleo y toda mi infancia viene a mi memoria envuelta en una gloria de amapolas y cereales. He encontrado entre los helechos una rueca cubierta de arañas y en el lago no canta ni una rana.

Urgente el coñac para mi pobre corazón. Escríbeme y yo iré a buscarte.

Muchas cosas para Amelia. Besos al niño (en los pies) y tú recibe un abrazo de tu amigo

FEDERICO

(Perseguido en Eden Mills por el licor del romanticismo.)

(A la vuelta.)

Me indicas la ruta del viaje. Si te es más cómodo ponme un telegrama largo indicándomelo.

Mis señas para el telégrafo son estas que escribe Cummings a máquina.

Es preferible para mí que me pongas un telegrama.

De todas maneras yo tendré que pasar por New York. Es probable que marche el jueves. Esto es acogedor para mí, pero me ahogo en esta niebla y esta tranquilidad que hacen surgir mis recuerdos de una manera que me queman.

¡Addio, mio caro!

A Addie Cummings *

[Otoño de 1929]

Queridísima Señora:

Mother of all mothers, I who am the son of all sons salute you. You have honored me with your smiling attentions. You left me showered with attentions that will endure for all the years to come, for whole centuries of years. I salute you with the affection of the individual being for Mother Earth.

Love me and never forget me.

Your overseas son,

FEDERICO

* Esta carta fue publicada por Mildred Adams en *García Lorca: Playwright and Poet* (New York: George Braziller, 1977), pp. 113-114. La traducción es mala; no he podido localizar el original. Lorca dirigió la carta a la madre de su amigo Philip Cummings después de su visita a Eden Mills, Vermont.

A su familia (3)

[*fragmento*]

[New York, 1929]

A Paquito [García Lorca] le debéis animar tanto si sale bien como si sale mal. Si sale mal, no es por su culpa, porque ha trabajado mucho, enormemente, y en las próximas sacará un gran número. Así es que yo sé que a vosotros no hay que deciros nada, porque sois una familia estupenda y como no hay otra en el mundo, pero está bien que se sepan todas las opiniones. De todos modos, si sale bien Paquito me ponéis un cable *ipso facto,* que llegan el mismo día.

A Melchor Fernández Almagro (60)

N[ueva] Y[ork], 30 de sept[iembre 1929]

Queridísimo Melchor: Esta carta no tiene más objeto que enviarte un abrazo cariñoso con el más intenso recuerdo.

Aunque tú ya me has *repudiado,* aquí desde lejos siento qué verdadera y perenne es mi amistad. *Ya he salido de mi asombro,* trabajo y me divierto.

He escrito un libro de versos y casi otro. *Furor pimpleo* que me decías tú, ¿te acuerdas?, en una fonda de la calle del Carmen, donde vivía [Francisco] Campos. Tengo muchas amigas americanas y muchos amigos y, por tanto, adelanto en el inglés rápidamente. No voy a hacerte descripciones de New York. Es inmenso, pero está hecho para el hombre, la proporción humana se ajusta a las cosas que de lejos parecen gigantescas y descabelladas.

Yo me encuentro alegre, con una alegría de primavera reciente y asisto a estos prodigiosos partidos de foot-ball con el candor del mejor aficionado. Creo que he hecho una buena cosa con este viaje.

Aquí veo mucho a Dámaso y a su mujer [Eulalia Galvarriato], que da un curso *sobre nosotros* en la Universidad. Saluda cariñosamente a tu madre, y a tus hermanas, a todos los amigos que *pregunten por mí,* a Ayala, a Vegue, a Salinas. A Salinas le escribo mañana.

Adiós, Melchorito. Escríbeme largo, que te contestaré en seguida. No te olvides de mí y recibe un abrazo fuerte de tu siempre

FEDERICO

Señas: John Jay Hall. Columbia University. New York City.

A Carlos Morla Lynch (3)

[New York. Finales de septiembre - principios de octubre, 1929] *

Queridísimo Carlos: Esta carta no es más que un abrazo muy grande con toda mi alma y un «no te olvido». Seguramente habrás leído la segunda edición de mis *Canciones* con la dedicatoria a tu inolvidable niña. Han sido estos renglones impresos un cordón que me unen a ti ya para siempre.

Yo vivo en la Universidad de Columbia, en el centro de Nueva York, en un sitio espléndido junto al río Hudson. Tengo cinco clases y paso el día divertidísimo y como en un sueño. Pasé el verano en el Canadá con unos amigos y ahora estoy en Nueva York, que es una ciudad de alegría insospechada. He escrito mucho. Tengo casi dos libros de poemas y una pieza de teatro. Estoy sereno y alegre. Ha vuelto a nacer aquel Federico de antes que tú no has conocido, pero que espero conocerás. Escríbeme.

Saluda a B... con gran cariño, al simpático Carlitos [Morla Vicuña] y a Alfredo [secretario de la Embajada de Chile], a quien quiero y recuerdo siempre. Adiós, Carlos. Ahí va un abrazo con todo mi corazón.

FEDERICO

(Mis señas: John Jay Hall. Columbia University. New York.)

* Fecho la carta de acuerdo con Eisenberg, art. cit., página 239. Lorca vivió en John Jay Hall desde el 21 de septiembre de 1929 hasta mediados de enero de 1930 (Eisenberg, páginas 238, 242).

A su familia (4)

[New York, enero de 1930]

Queridísimos padres y hermanos: Han transcurrido las festividades de Pascua con gran brillantez y un tiempo excelente. He recibido vuestras cartas y las cartas de Manolo [Fernández Montesinos] y Conchita [García Lorca] desde Córdoba y Barcelona que les agradezco muchísimo. Ahora deben de celebrar las bodas ya que antes no se han celebrado, cosa que siento bastante, pero debieron haberse celebrado porque con una familia tan larga como tenemos no se va a poder celebrar nada nunca en la vida. Ya veis cómo Eloísa [Palacios García] se puso mejor, según me dijo Conchita. Naturalmente me alegro de su mejoría y celebraré infinito que se restablezca por completo. Yo espero que las Navidades las hayáis pasado con felicidad, como vosotros merecéis.

Yo pasé la Nochebuena en casa de [Federico de] Onís, la parte de la cena. Allí estaba José Antonio Rubio [Sacristán] y el matrimonio de[l] Río [Amelia y Angel] con el gran crítico italiano Prosolini [¿Giuseppe Prezzolini?] y su hijo Alejandro. La comida fue muy agradable con vino abundante y humor, pero yo les tuve que dejar a las diez para marchar a casa de [Herschell] Brickell donde había un árbol de Noël y estaban reunidos los íntimos de la familia. En casa de ellos, naturalmente, lo pasé aún mejor. Porque es otra sociedad distinta y allí me siento extranjero. Me regalaron infinidad de cosas y allí tomé parte de una ceremonia muy inglesa, pero llena de encanto y calor familiar. Habían puesto un altarito y sobre un mosaico de Talavera estaban puestas tantas velas como asistentes. Uno a uno las fuimos encendiendo y había que poner, al encender cada vela, un buen deseo para otra persona.

Yo, naturalmente, puse el *deseo* en vuestra salud y felicidad, pues, aunque sois cinco personas, para mí sois como una.

De todas maneras, los americanos toman en serio esta cosa casi supersticiosa porque son como niños. Después fuimos a la misa del gallo, a la iglesia de los Paúles, donde cantaron una misa magnífica un coro de niños y oficiaron con una solemnidad sorprendente.

Aquí pude ver lo vivo que está el catolicismo en este país, porque tiene que luchar con protestantes y judíos que tienen en la acera de enfrente sus iglesias. Fueron cientos y cientos las personas que comulgaron. Puede decirse que la catedral en pleno comulgó. Y era una muchedumbre típica de New York. Negritos, chinos, americanos, etc.

La nochebuena, claro es, la mejor que yo he visto, son [*sic*] las monjas tomasas, o aquella inolvidable nochebuena de Asquerosa, en la cual pusieron a San José un sombrero plano rojo y a la Virgen mantilla de toros. Pero el escándalo callejero es el mismo: en todas las plazas se clavaron los árboles de Noël cubiertos de luces, y bocinas de radio, y la muchedumbre iba y venía entre los marineros borrachos.

El *Times* dijo al día siguiente que se habían registrado 80 casos de alcoholismo gravísimo, muchos de los cuales habían muerto, naturalmente. Porque, claro está, New York es hoy, por causa de la prohibición, el sitio en donde se bebe más del mundo. Hay infinidad de industrias dedicadas al alcohol y a envenenar a la gente porque hacen vinos de madera y de sustancias químicas que dejan ciegas a las gentes o les corroe el riñón. ¡Oh horror! Claro está que esto es una imposición de la odiosa iglesia metodista, muchísimo peor que los jesuitas españoles en la fase histórica actual. Porque el estado entero de New York no ha sido nunca seco, sino húmedo, y con esto sólo consiguen hacer de la bebida limpia y corriente un nuevo paraíso artificial, anhelado por todo el mundo, y el número de borrachos en mucho mayor número que antes [*sic*]. Claro es que yo no bebo nada como no me cerciore de que es bueno, y desde luego a las casas que yo voy que dan bebida son casas distinguidas y ofrecen excelentes cosas de calidad. Ya es seguro que voy a Cuba en el mes de marzo. Onís me ha arreglado el viaje. Allí daré ocho o diez conferencias. Desearía que me enviaseis la conferencia de Góngora. Si no tenéis, creo que [Enrique Gómez] Arboleya tiene. Claro es que no la daré como está, pero me servirá de base para una que escribo. Y me enviáis también, si tenéis, la conferencia del cante jondo. No para darla como está, sino para recoger las sugestiones de ella, ya que es un asunto muy importante, y que yo voy a presentar en polémica, no sólo en Cuba, sino después en Madrid, este del cante jondo y la poesía andaluza.

Yo trabajo bastante. Escribo un libro de poemas de interpretaciones de New York que produce enorme impresión a estos amigos por su fuerza. Yo creo que todo lo mío resulta pálido al lado de estas cosas, que son en cierta manera *sinfónicas,* como el ruido y la complejidad neoyorquinas.

Saludad a todos. Especialísimamente a tía Isabel [García Rodríguez], a toda la familia, a Eduarda [Miranda Lorca], a las muchachas, y vosotros recibir un abrazo y besos de vuestro hijo.

FEDERICO

Quedasteis en contarme la boda, pero no me habéis contado nada, ya que lo que me decíais lo sabía o me lo figuraba.

¡Abrazos! ¡Besos!

A su familia (5)

[*fragmento*]

[primavera, 1930]

Con este fondo admirable de cañas bravas estoy ya, como dicen los periódicos de Cuba, «aplatanado». Mañana me dedicaré a recortar con tijeras los artículos para enviaros y las revistas. Todos los días leo la situación de España con gran interés. Aquello es un volcán. Estuve en casa del músico Sánchez de Fuentes, que es autor de la habanera «Tú», que me cantabais de niño, «La palma que en el bosque se mece gentil», y dedicó un ejemplar para mamá.

Conservarse buenos. Yo lo estoy. Abrazos y besos de vuestro hijo y hermano, Federico.

¡Besos! y abrazos a Manolo [Fernández Montesinos].

A Federico de Onís (1)

[Telegrama]

[18 junio 1930]

ESTOY MANUELARNUS MUELLE TRASATLANTICO IMPOSIBLE DESEMBAR[CAR] AVISE RUBIO [SACRISTAN] VENGAN VERME ABRAZOS FEDERICO

A Bebé y Carlos Morla Lynch (4)

[Madrid, abril de 1931] *

Así estoy llorando todo el DIA [*dibujo*]
¡Ay! ¡Ay! ¡Ay!

¡Ay Carlos, primo mío *e mi arma*!
¡Ay Bebé, primita *e* mi sangre!
¡Ay Carlitos!
¡Ay todos! Ay trompeta prima... de Luis Bello Trompeta, diputado en las Constituyentes.
Estoy hecho un sapo yo encuentro.
Así estoy llorando todo el día.

[dibujo de un sol con rostro y lágrimas que gotean sobre dos copas]

Así estoy llorando toda la NOCHE [*dibujo*]

Porque no os veo, queridos míos.
Recibid mil besos de vuestro

FEDERICO

* Según M. Hernández (*Trece de Nieve,* p. 237) esta carta «debió ser escrita, probablemente, en abril de 1931, única época de distanciamiento entre el poeta y sus amigos, según relata Carlos Morla...». La carta «...está enmarcada por dos dibujos, en caras una y tres, de dos rostros de pierrot lloroso, con sol y luna dibujados en sendas esquinas».

A Encarnación López Júlvez, «La Argentinita»

[Dibujo: dama española]

[Granada, verano 1931] *

Querida comadre:
Como no pude despedirme de usted por causa de mi enfermedad, y como me llamó por teléfono y luego no se encontraba usted en casa, le escribo para saludarla con gran cariño y admiración, y para decirla que vivo en Acera del Casino 31, Granada, para lo que guste mandar.

Yo estoy ahora en pleno trabajo y muy contento de este paisaje y de esta encantadora familia que tengo. Yo la recuerdo constantemente, pues mis hermanillas, que son *fervientas* admiradoras de usted, ponen a toda hora los discos, que, entre paréntesis, son estupendos.

¿Qué es de Ignacio [Sánchez Mejías]? Dele usted un abrazo de parte mía. Espero que me tendrá presente en sus oraciones y no me olvidará.

Reciba usted, querida comadre *e mi arma,* el más cariñoso saludo de su colaborador y compañero

FEDERICO GARCÍA LORCA
— Granada —

¿Qué pasa con los discos? No he recibido sellos. ¿Quiere preguntarle a Gelabert? ¡Cora es algo horrible!

* M. Hernández deduce que la carta fue escrita «tras la impresión discográfica de la 'Colección de canciones populares antiguas', con Lorca al piano y *La Argentinita* de cantante» —grabación que, según el mismo Hernández, debió de ser del año 1931 (*op. cit.,* p. 66)—. El dibujo y un fragmento del texto están reproducidos en color en la portada de la citada edición de *Trece de Nieve.*

A Carlos Morla Lynch (5)

[Granada. Verano de 1931]

Queridísimos míos: Os escribí y no me contestáis. ¿Qué pasa? Leo la revolución de Chile y me preocupo mucho por vosotros. ¿Qué gobierno hay? ¿Qué idea tenéis de vuestra nueva situación? Escribidme y contadme muchas cosa. Lo deseo *.

Yo trabajo mucho. En los últimos días de septiembre haremos en vuestra casa (que es la mía, porque me lo habéis dicho siempre) una lectura de mi nueva pieza con invitados y fotos.

Recibí vuestras postales de Sigüenza con toda la patulea. Espero que Carlos [Morla Vicuña] habrá por fin saludado en mi nombre a la señora secretaria del inefable A... Ahora mismo mi casa está llena de canciones de cuna para dormir a la niña y ya están dormidas mi mamá, mis hermanas, mi papá, los árboles y los perros, menos la niña que no se duerme nunca.

Os quiero tanto, que deseo un retrato de Carlos para ponerlo junto al de Bebé a los lados de mi mesa, como en las iglesias el Sagrado Corazón de Jesús (izquierda) y el Sagrado Corazón de María (derecha).

¡Ay, qué calor hace! Pero qué buen calor de oro lleno de pájaros y hojas de un verde duro. Escribidme contándome todo.

Mil besos y abrazos de vuestro

FEDERICO

Saludos a todos los amigos.

* Alusión a la caída del Presidente de Chile, Carlos Ibáñez, el día 26 de julio.

A Carlos Morla Lynch (6)

[Granada. Verano de 1931]

Queridísimo Carlos: Recibí tu carta. No os olvido un momento. Miro siempre el delicioso retrato de Bebé que tengo sobre mi mesa y que tiene una mano de oso blanco sobre el pecho, una coliflor sobre el pecho o un pedazo de nieve sobre el pecho, según se sienta uno épico, cómico o lírico.

Tengo a veces ataques intensos de cariño que curo bebiendo vino de Granada en el admirable jardín morisco de Las Chirimías y acordándome de vosotros entre la fragancia de los arrayanes.

Trabajo. Ya voy por el tercer acto de mi pieza *Así que pasen cinco años,* cuya idea tanto gustó a Bebé.

Espero que pronto la leeremos y mi mayor alegría será que os guste.

Yo te felicito (¿felicito?) de todo corazón por los sucesos de Chile..., pero se me parte el alma al pensar que os podéis ir. Comprendo que es justo que tú seas ministro y que Bebé pueda usar su ya melancólico vestido de corte por otros suelos de mármoles, pero egoístamente quiero teneros a mi lado para llegar tarde a comer y poner la cama de Bebé en el salón. ¡Ay!

Espero que me contestarás en seguida.

Besos, abrazos y llantos de

FEDERICO

A Regino Sainz de la Maza (7)

[Dibujo: pierrot con un letrero que sale de su boca: «Salud a Josefina y a Regino»]

[1931] *

Queridísimo Regino: No te he querido contestar antes porque no sabía qué decirte. Ahora sí. He terminado mi obra *Así que pasen cinco años,* estoy *en cierto modo* satisfecho y llevo mediado el drama para la Xirgu. ¡Un esfuerzo, Regino! Además, he escrito un libro de poemas, *Poemas para los muertos,* de lo más intenso que ha salido de mi mano. He sido como una fuente. Día, tarde y noche escribiendo. Algunas veces he tenido fiebre como los antiguos románticos, pero sin perder esta inmensa alegría consciente de crear.

Ahora te digo: ¿Cuándo quieres que vaya después del día ocho? A mí me gustaría dar una conferencia en Torrelavega y una conferencia en Santander y si puedes en otro sitio. Te digo esto porque tú ya eres mi *manager* y siempre haces las cosas que yo no puedo, o me da cierto miedo hacer.

Pasaría unos días con vosotros y os leería unas cosas nuevas.

Contéstame y, si puedes, haz las gestiones.

Saluda a Josefina [de la Serna], a doña Concha [Espina], al encantador Luis Paris [Luis de la Serna], que lo he *sacado* en una comedia, y a todos.

Contesta pronto. Para que me prepare o no me prepare.

Mil abrazos y saludos de vuestro

FEDERICO (pico chico)

Me dijo [José María de] Cossío que le avisara mi llegada con gran empeño.

* Según Mario Hernández (*Trece de Nieve,* núm. cit., p. 68), esta carta «debió ser escrita en 1931, posiblemente desde Granada, mientras el guitarrista pasaba sus vacaciones en Santander, donde sus gestiones de 'manager' resultaron infructuosas. En el verano de este mismo año el poeta anuncia a Carlos Morla: 'Ya voy por el tercer acto de mi pieza *Así que pasen cinco años...*' Ahora comunica a su amigo la terminación de [dicha] 'leyenda del tiempo'». No sé en qué comedia podría haber «sacado» al desconocido Luis París.

A Regino Sainz de la Maza (8)

[1931] *

Queridísimo Regino: Recibí tu carta elepéntica. Los tíos de Santander son unos miserables. Pero si vosotros estáis en Santander el 15, yo iría unos días con vosotros. Contéstame y me pondré en camino.

Claro que no quiero *mendigar* conferencias. Si yo había pensado lo de las conferencias es porque es bonito pretexto para ir con vosotros sin demasiado *escándalo* de mis padres, que siempre me quieren tener con ellos, como es natural. Y además me *costeaba* el viaje. De todos modos, si vosotros estáis ahí más tiempo, yo iré. Escríbeme a vuelta de correo. Y dime qué te parece.

Al señorito chulángano del organillo médico-anarquista [Luis de la Serna], un abrazo.

Saludos a doña Concha [Espina], a Josefina [de la Serna] y un abrazo para ti de

FEDERICO

* «Parece evidente que estamos ante la contestación a la respuesta de Sainz de la Maza sobre la posibilidad de dar unas conferencias en diversos puntos de Santander» (M. Hernández, *Trece de Nieve,* núm. cit., p. 237). Será, pues, de verano u otoño de 1931. Según Hernández, la palabra «elepéntica» parece creación personal del poeta, «muy en la línea de su afición al uso de neologismos disparatados de puro juego —chorpatélico, reconcolio, opolio, etcétera— con que sembraba a veces su conversación 'jitanjafórica'».

A Carlos Morla Lynch (7)

[Granada. Segunda quincena de agosto de 1931] *

Queridísimo Carlos: ¡Un dolor! Todo el día te estoy recordando. En mi casa, igual. Cuando dije a mi madre la frase del encantador Gitanillo sobre la Virgen, se echó a llorar, y una costurera que había cosiendo, muy andaluza, decía: «¡Hijo de mi alma, él sí que estará ya en los brazos de la Virgen!»

Ha sido una gran pena, y yo me imagino lo que habrás sufrido, y estoy a tu lado porque te entiendo y porque yo también estoy acostumbrado a sufrir por cosas que la gente no comprende ni sospecha.

Entre persona y persona hay hilitos de araña que llegan a convertirse en alambres y más aún en barras de acero. Cuando nos separa la muerte nos queda una herida con sangre en el sitio de cada hilo.

Bien puedes saber que no te olvido un momento y que estoy deseando poderte abrazar con la ternura y la tontería lírica que yo siento por ti. Ternura porque me sale de la sangre y tontería (¡oh dulce tontería y divina baba de los niños!) porque me sale del alma, que es lo más tonto que poseemos.

Pero yo quiero que tú seas fuerte, porque me duele mucho que tú añadas sufrimientos a los muchos que ya tenías, aunque yo sé que esto es imposible en un corazón tan grande y tan elevado como el tuyo. Dios también tiene que ser bueno contigo, y lo mismo la Virgen, la Santísima Virgen, llena de espadas como un toro, que ampara a los toreros y que se lleva con ella a los que son guapos y buenos como era Gitanillo.

Carlos, te abrazo con todo mi cariño. Saluda a Bebé y a Carlitos. Y dile a Rafael [Martínez Nadal] que es indecente su proceder conmigo. Yo no le he hecho nada y él no ha contestado a cuatro cartas mías. Estoy verdaderamente dolido.

O es mayo o es un irresponsable. Le pegaría de buena gana. Estoy que bramo.

Adiós, Carlitos. Mil abrazos para ti y escríbeme mucho.

FEDERICO

* En las cartas 7 a 10, Lorca consuela a Morla por la muerte de su amigo el torero *Gitanillo de Triana* (Francisco Vega de los Reyes), quien sufrió una cogida en Madrid el 31 de mayo y murió el 14 de agosto en el Sanatorio de Toreros (agradezco el dato a María C. Quintero. Véase «Ayer murió Gitanillo de Triana», *El Sol,* Madrid, 15 de agosto de 1931).

La «frase del encantador *Gitanillo* a que alude Lorca en la carta 7 se recoge en Morla Lynch, *op. cit.,* p. 71; el torero había dicho a Morla «Yo le diré a la Virgen lo bueno que has sido conmigo».

A Carlos Morla Lynch (8)

[Granada. Segunda quincena de agosto de 1931] *

Queridísimo Carlos: Tu última carta, tan hermosa, me hizo ver hasta qué punto lo has pasado mal y qué calvario tan silencioso has sufrido. Pero lo que me ha hecho ver aún más, es lo bueno que eres. Muy poca gente es capaz de hacer lo que has hecho; pero el que tiene estos sentimientos posee, sin duda, el verdadero tesoro del mundo. Tesoro que es sufrimiento, pero sufrimiento que es liberación y es, en último caso, ¡cielo!

Todas las religiones tienen y han tenido el mismo mapa. El resplandor de la vida es para el que lleva un cubito de lágrimas y no para el que lleva un puñado de diamantes. Te escribí otra carta que se cruzó con la tuya. Esta tiene por objeto mandarte mi abrazo. Desde luego, tengo más ganas que nunca de verte, y espero que será pronto. Adiós, Carlos. Procura serenar tu sentimiento y recibe un abrazo tierno de tu siempre

FEDERICO

* Véase la nota a la carta 7 a Morla Lynch (pág. 145).

A Carlos Morla Lynch (9)

[Granada. Segunda quincena de agosto de 1931] *

Queridísimo Carlos: Recibí tu carta extraordinaria de tu casa extraordinaria. Te supongo más tranquilo, o sea peor, porque tus lágrimas estarán por dentro como esas gotas de agua que estremecen las cuevas oscuras y resbalan por los helechos. Bien está, después de todo. Nunca sabemos lo que verdaderamente conviene a nuestro espíritu. Yo sigo bien en este ambiente tan dulce y lleno de belleza... Tengo un inmenso deseo de irme con vosotros, aunque sienta dejar esto. Escríbeme siempre, Carlos. Yo necesito revolcarme en el suelo. Abrazos de

FEDERICO

* Véase la nota a la carta 7 a Morla Lynch (p. 144).

A Carlos Morla Lynch (10)

[*fragmento*]

[Granada, finales de agosto de 1931] *

...Otra vez te mando un abrazo porque sé que estás triste y tú sabes lo muchísimo que te quiero y lo cerca que estás siempre de mí. Estoy deseando verte y encuentro siempre frío este papel, a pesar de que mis dos manos están posadas dulcemente sobre su llanura.

Para el 15 o 20 de septiembre yo estaré en Madrid, así es que falta menos de un mes para que volvamos a reunirnos en tu casa, cosa que anhelo de una manera ardiente; y me parece lo mejor que me pueda pasar.

A Bebé la adoro. Tanto la adoro, que ella no sabrá nunca las miles de fotos de sus hechos y de sus divinas actitudes que yo conservo en mi imaginación. Trajes, gestos, palabras, y hasta si se ha ido algún día un punto de su media, yo lo guardo con ternura.

También tengo una gran simpatía por el cuarto de baño de tu casa, porque nadie se las tiene a esta clase de habitaciones y nadie quiere hablar de ellas; sin embargo, yo, donde me he sentido plenamente en mi casa ha sido tendido en la bañera, mientras te peinabas y Carlitos se untaba gomina en el pelo, y Bebé gritaba: «¡Vengan a comer!»

Hace un día espléndido. A mi cuarto llega un fresco rumor de maizales y de agua. Siempre te recuerdo. Sabes que te acompaño con todo mi cariño.

FEDERICO

* Véase la nota a la carta 7 a Morla Lynch (p. 144).

A Carlos Morla Lynch (11)

[Granada, septiembre de 1931] *

Queridísimo Carlos: ¡Ya estás otra vez con heridas! Pero espero que no me abandonarás a mí.

Carlitos me escribe y me ha contado la llegada de tu nuevo hijo «Perrito Morla» a la casa. Tengo mis sospechas de que lo has tenido con la checoslovaca.

Un hombre puede tener un hijo perro. Se cuenta que una reina de Etruria tuvo una vez un hijo caimán, y en Granada hay un señor que se llama don Achián, que tuvo una vez por cierta parte de su cuerpo un atún precioso, al que este señor bautizó con el nombre de Achianito, y lo echó en un estanque de su jardín. La vida es desconcertante. ¿No es mucho más lógico tener un hijito perro, que viva su vida sola, que no tener unos hijos siameses?

Que se mejore *Cagancho*, pero que me mejore yo también.

Adiós. Besos y abrazos de

FEDERICO

* No he podido encontrar la fecha de la cogida de *Cagancho* a la que alude Lorca, quien contesta la carta del 29 de agosto de 1931 de Carlos Morla Vicuña (archivo de la familia García Lorca).

A Carlos Morla Lynch (12)

[Membrete:] Ateneo de Granada

[Granada, ¿finales de agosto?, 1931]

Queridísimo Carlos: Apenas llegué del campo os llamé por teléfono y pude observar que estabas tan guapo como siempre y que Bebé tenía puesto un precioso traje negro y zapato gris que se revelaban en cierto encanto apagado de su voz. Ya estoy en casa de Granada otra vez y muy atareado, pues tenemos de huéspedes a la ministra de Justicia y a su hija la ministrilla, que están pasando una temporada con mis padres, y no puedo lamer el plato ni comer con albornoz ni romper platos para que se ría mi sobrinita; menos mal que ellas son simpatiquísimas.

Dentro de siete días me iré a Madrid y espero verte siempre. Me parece que este año, ¿año?, voy a tener dramas hermosos y gloriamas [?] estupendos.

No me has escrito y te has portado como un cerdito chiquito bonito que se llamaba Luisito y que tenía una copa en el culito. Carlitos tampoco me ha comunicado y se ha portado como un pescado colorado, que está demasiado salado y tiene el hígado esponjado. Escríbeme, Carlos. En seguida seré con vosotros y esto me alegra el aire adorable de Granada. Abrazos.

FEDERICO

A Carlos Morla Lynch (13)

[Granada, 1931]

Queridísimo Carlos: Día de júbilo en casa. La niña ha dicho por vez primera ma-ma-ma-ma. Y luego se ha entusiasmado y ha dicho ma-ta-pa-la ca-ti-pa. Alfabeto de un teléfono angélico, sin duda, donde la niña se despide para entrar por este arco terrible y teológico de la razón humana.

Ha sido un *revolutorio* precioso. Gritos, chillidos de las criadas andaluzas, subidas y bajadas por las escaleras y toda el agua sonando: el retrete, la ducha, el aljibe. Luego mi padre ha dicho muy serio: «Es una niña genial», y mi mamá, más comprensiva: «No, pero es más simpática que los demás niños.» Ha entrado el hortelano y su mujer y sus hijos y ha entrado un vendedor de helados y dos mendigos que duermen bajo los árboles, y hasta un pequeño burrito. Mi padre, muy solemne, se dirige a la niña y le dice: «Hijita, di mamá, anda»; y la niña, agitando los bracitos, grita: «Ta-ca-che-li-pi-ta-má...», ¡y se echó a llorar!

Un abrazo

FEDERICO

A Carlos Morla Lynch (14)

[1931]

(CARTA DEL ECO CON UN PEQUEÑO LATIGO DE MAIZ)

Queridísimo Carlitos: Recibí tu carta. (El eco) CARTA..., que te agradezco mucho. (El eco) MUCHO..., y te ruego le des un puntapié a Alfredo. (El eco) ALFREDO..., porque es preciso. (El eco) PRECISO... Preciso. (El eco interrumpiendo) PRECISO... y yo (El eco irritado) YOOOOO... no puedo. (El eco irritadísimo) NO PUEDOOOOO... Carlitoooooooos. (El eco frenético) CARLITOOOOOOOOS... ¡Adiós! (El eco loco) CARTA MUCHO YOOO CARLITOS ADIOOOOOOOSSS...

A Jorge Guillén (28)

[Tarjeta postal]

[Alicante, 31 diciembre 1931]

Sr. D. Jorge Guillén, Constitución, 12, Valladolid.

Queridísimo Jorge:
Un abrazo cariñoso y de admiración profunda por tu último poema de tu siempre

FEDERICO

Abrazos a Germaine y a los niños.

Buenas tardes.

UGARTE

Feliz Cántico nuevo para 1933. Con «La Barraca» en Alicante

PEDRO [Salinas]

¡Feliz Año, querido Jorge! Se te recuerda y abraza en este día alegre de San Silvestre.

JUAN [Guerrero]

A Federico de Onís (2)

[enero 1932] *

Sr. D. Federico de Onís

Queridísimo Onís: Al empezar el año tengo una gran alegría en desearle felicidad en compañía de los suyos y muy especialmente de mi adorable ahijado Juan. (Ahí está papá.)

Esta carta sirve de presentación a mi querido amigo Ernesto Martínez Nadal, abogado español y hombre cultísimo con el cual me une una amistad familiar antigua. Yo ruego a usted lo atienda como si se tratase de mí.

Ahora trabajo mucho. Estamos creando el Teatro Universitario, donde pienso montar gran número de obras clásicas y preparo algunos libros que ya le mandaré y algunos estrenos.

Deseo muy pronto darle un abrazo.

Adiós. Recuerdos cariñosos a su mujer y besos a mi ahijado.

Un saludo cordial de su siempre

FEDERICO GARCÍA LORCA

* La creación del Teatro Universitario (La Barraca) data de finales de 1931 (véase O. C., II, p. 978).

A Olegario Arbide

[Membrete:] Hotel Simón. Velázquez, 12. Esquina a Rioja. Sevilla.

[Sevilla, finales de marzo 1932] *

Querido amigo Olegario:

Recibo su cariñosa carta en Sevilla y me apresuro a contestarle. El asunto no tiene importancia y yo jamás he estado molesto. No tiene por tanto que pedirme excusas. El día 7 iré a San Sebastián donde espero pasar un rato en su agradable compañía. Saludo cariñosamente a los amigos del Ateneo. Para Ud., un alegre abrazo sevillano de su siempre amigo.

FEDERICO

La carta es corta, porque en Sevilla no se puede ahora estar sentado bajo techo, sino enlazado a esta espléndida primavera exterior.

* Según Laffranque la carta no está fechada, pero fue «écrit sûrement à la fin mars 1932 (présence à Séville les 30 et 31 mars, conférence sur *Poeta en Nueva York* à San Sebastián le 7 avril)».

A Manuel de Falla (19)

[Salamanca, 29 mayo 1932] *

Sr. D. Manuel de Falla. Antequerela, 11. Granada

Un cariñoso recuerdo desde Salamanca.

FEDERICO

* Del matasellos sólo se lee «Salamanca, 29 M-Y». Posiblemente, data la postal de los días en que Federico estuvo en Salamanca para leer su conferencia «Arquitectura del cante jondo» (véase la reseña de R. Aguirre Ibáñez en *El Adelanto*, Salamanca, 31 de mayo de 1932).

A Antonio Rodríguez Espinosa (3)

[¿Verano de 1932?]

Querido don Antonio: Acabo de regresar de mi excursión de «La Barraca» y tengo que salir esta noche para Valladolid para leer mi obra nueva a la Membrives, que la estrenará en seguida aquí. Necesito 100 pesetas y se las pido como siempre. Tenga la bondad de entregarlas al botones o, si no está usted, mándelas esta tarde sin falta a Ayala 60, que creo que ahora es 72. Pero lo mejor sería que las diera al niño. Volveré pasado mañana y quiero buscar piso para mi familia y ver los que usted ha visto.

Un abrazo de

FEDERICO

A Alberto González Quijano

[Granada, verano de 1932] *

Querido Quijano (bigotitos):

He recibido tu telegrama. Es verdaderamente molesto que ni [Carlos] Congosto ni [Manuel] Puga [Jiménez] puedan venir. ¿Qué hacemos? Paquito está en pleno trabajo, no puedo pedirle que venga. Es verdaderamente molesto. Dime de todas maneras cuándo debo salir para ver en Madrid qué sustitución hago.

Hubieras tenido que prever esto de antemano. Dime cuándo tengo que llegar. Aquí hay huelga general y no sé hasta cuándo.

Saludos a todos, especialmente a Ugarte.

Estoy angustiado ante la idea de tener que buscar un hombre que tenga que aprenderse el papel en tres días.

Adiós. Abrazos de este que siempre es tu

FEDERICO

* Según Auclair, Lorca escribió esta carta cuando La Barraca se preparaba para ir a La Coruña. He completado los nombres a partir de la documentación de Luis Sáenz de la Calzada, *La Barraca. Teatro universitario,* pp. 130 y 227-230.

A Adriano del Valle (4)

[junio o julio 1932] *

Querido Adriano: Hoy han venido a verme mis jóvenes compañeros dibujantes de la exposición de Huelva. Quisieran que escribieras algo de ella. Parece que en Huelva hay *cierto jaleo.* Es divertido. ¿Qué escribes? ¿Qué es de tu vida?

Recibe un abrazo de tu camarada

FEDERICO

* Se refiere Lorca a la Exposición de Arte Nuevo que tuvo lugar en el Ateneo de Huelva, del 26 de junio al 3 de julio de 1932. El programa está encuadernado con las cartas en el citado manuscrito de la Biblioteca Nacional.

A Miguel Hernández

[1933] *

Mi querido poeta:

No te he olvidado. Pero vivo mucho y la pluma de las cartas se me va de las manos.

Me acuerdo mucho de ti porque sé que sufres con esas gentes puercas que te rodean y me apeno de ver tu fuerza vital y luminosa encerrada en el corral y dándose topetazos por las paredes.

Pero así aprendes. Así aprendes a superarte en ese terrible aprendizaje que te está dando la vida. Tu libro está en el silencio, como todos los primeros libros, como mi primer libro, que tanto encanto y tanta fuerza tenía. Escribe, lee, estudia. ¡LUCHA! No seas vanidoso de tu obra. Tu libro es fuerte, tiene muchas cosas de interés y revela a los buenos ojos *pasión de hombre,* pero no tiene más *cojones,* como tú dices, que los de casi todos los poetas consagrados. Cálmate. Hoy se hace en España la más hermosa poesía de Europa. Pero por otra parte la gente es injusta. No se merece *Perito en lunas* ese silencio estúpido, no. Merece la atención y el estímulo y el amor de los buenos. Ese lo tienes y lo tendrás porque tienes la sangre de poeta, y hasta cuando en tu carta protestas tienes en medio de cosas brutales (que me gustan) la ternura de tu luminoso y atormentado corazón.

Yo quisiera que pudieras superarte de la obsesión, de esa obsesión de poeta incomprendido, por otra obsesión más generosa política y poética. Escríbeme. Yo quiero hablar con algunos amigos para ver si se ocupan de *Perito en lunas.*

Los libros de versos, querido Miguel, caminan muy lentamente.

Yo te comprendo perfectamente y te mando un abrazo mío fraternal, lleno de cariño y de camaradería.

FEDERICO

(Escríbeme.)
T/C. Alcalá, 102.

* Esta carta fue transcrita por Concha Zardoya del original (hoy perdido) en el archivo de Josefina Manresa. Es, obviamente, posterior a la fecha de impresión de *Perito en lunas* (20 de enero de 1933), y, según Laffranque, «elle date... probablement, de la première moitié de 1933 et précède vraisemblablement les articles qui furent consacrés au livre par le grand journal *El Sol* et par *El Liberal* de Séville». Dichos artículos aparecieron el 5 de junio de 1933 y el 5 de marzo del mismo año, respectivamente (Laffranque, *op. cit.*, p. 382).

A Manuel de Falla (20)

[Telegrama]

[Cádiz, 12 julio 1933]

Manuel de Falla, Casa Mulet, Genova

EXITO FORMIDABLE AMOR BRUJO EN CADIZ BAILADO COMO NUNCA POR ARGENTINITA Y GITANOS ANDALUCES LE ABRAZA CON TODO CARIÑO SU VIEJO AMIGO FEDERICO GARCIA LORCA

A José María Chacón y Calvo (2)

[Membrete:] Real Monasterio de Santo Domingo de Silos. Por Salas de los Infantes (Provincia de Burgos) *.

Querido José María:
Estuve a visitarte.
No estabas.

Creo que estabas en la legación.

En la legación habrá miles de documentos oficiales.

Cuando he pensado en esto he tenido un gran susto.

Quédate con Dios y tu San Francisco. Otro día te veré. Un abrazo (a la derecha), otro abrazo (a la izquierda), otro abrazo (centro).

FEDERICO, Rex de Andalucía.

Otra vez vuelvo.
La misma carta.
Todo el zumo de la tarde.
Campo largo
Campo verde
Campo maduro ¿de Cuba?
Esto no está bien.
Estás hecho un callejero.

1 2 3
abrazo abrazo abrazo

FEDERICO Rex de Andalucía

[dibujo: dos limones]

* De fecha incierta. Es posible que se escribiera en 1933; está redactada en una hoja con membrete que Chacón quizás traería a Madrid del Monasterio de Silos, cuyo archivo utilizó en aquel año mientras preparaba su estudio *El Padre Sarmiento y el Poema del Cid* (para la visita de Chacón a Silos, véase G.-Vega, *op. cit.*, p. 56).

«Quédate con Dios y tu San Francisco», escribe Lorca, refiriéndose a los votos de terciario franciscano que Chacón hizo en Italia en 1922 (G.-Vega, *op. cit.*, p. 57).

A Melchor Fernández Almagro (61)

[Tarjeta postal:] Muelle. Montevideo, Uruguay. 14 febrero 1934

A Melchor Fernández Almagro desde una noche granadina pasada en Montevideo con su recuerdo, entre otros igualmente agradables.

E[NRIQUE] DÍEZ CANEDO

Un abrazo muy fuerte de

FEDERICO

PEPE MORA [GUARNIDO]
MARINO [MORA GUARNIDO] y SOFÍA
M.ª LUISA y M.ª TERESA DÍEZ-CANEDO
JOSÉ MARÍA FERNÁNDEZ COLMEIRO

ESTHER

Y con todo el afecto
de TERESA

A Enrique Amorim

[Montevideo, febrero de 1934] *

¡Oh canalla!
¡Oh pérfido!
¿Te has escondido
y has hecho un nido
con tu deseo?

(copia a la manera de la [Alfonsina] Storni)

El caso es que eres un canalla.
Te espero a las 10 y media en punto en la Legación.
Allí estaré, canalla.
Saludos a Esther.

FEDERICO el bebo - - ché

* La nota debe datar de la estancia de Lorca en Montevideo, fechada por Campanella del 30 de enero al 14 de febrero de 1934. «Esther» es Esther Haedo de Amorim, viuda de Enrique.

A José Bergamín (2)

[Granada, ¿1934?]

Querido Pepe:

Ahí va para verte mi amigo el joven andaluz Pepe Caballero, que te enseñará unos admirables dibujos.

Yo mandé dos preciosas ilustraciones para el artículo de Rosales, y creo que no van a salir, según me ha dicho. Creo que vale la pena que tú veas los trabajos de este artista y publiques alguno.

Hasta pronto. Un abrazo cariñoso de *

FEDERICO

Me gusta mucho la palabra Porto-Pi.

* Sospecho que se trata del artículo que publicó Rosales en *Cruz y Raya,* núm. 14 (1934): «La Andalucía del llanto. (Al margen del *Romancero gitano*)».

A Ezio Levi

[Septiembre de 1934] *

Querido amigo mío:

He recibido sus cartas y hoy recibo una de Pirandello y Marconi [?] invitándome al Congreso del Teatro de Roma. Yo estoy muy contento y agradecidísimo de esta invitación por el alto honor que para mí representa. Hace unos días escribí a Madrid diciendo que me dijeran cuándo empezaban los ensayos de mi obra *Yerma,* que piensan estrenar en noviembre próximo, y no me han contestado. Hoy escribo otra [...] con carácter urgentísimo. Por eso no le he contestado. Si dentro de dos días no he recibido contestación o si la he recibido negativa, escribiré a usted de modo definitivo y a la Academia con mi contestación definitiva. Mucho quisiera poder ir.

¿Cree usted que intresará al Congreso el tema de «La Barraca»? Dígamelo francamente, para ir pensando otro tema. Tengo tiempo todavía de tardar dos días en contestar. Si ya fuera tarde, dígamelo también.

No tengo fotos de «La Barraca», porque las tengo en Madrid; pero pediré las que haya. El Congreso me invita a llevar a mi señora, pero como no la tengo ¿podría llevar conmigo al secretario de «La Barraca», que es también secretario mío? Contésteme qué le parecen todas estas preguntas.

Usted sabe que yo soy concentrado y hombre poco social y le temo también un poco a todas las cosas oficiales. Tengo un carácter infantil y estaré bien al lado de tanta gente brillante. ¿En qué modo podría *enfocar* el tema de «La Barraca» para el Congreso?

Perdone mil veces a su amigo que le quiere y le envía un cariñoso abrazo. Adiós.

FEDERICO GARCÍA LORCA

* Sobre la fecha de esta carta, véase Mario Hernández, «Cronología y estreno de *Yerma, poema trágico de F. G. L.*», en *Revista de Archivos, Bibliotecas y Museos,* LXXXII, núm. 2 (abril-junio 1979), pp. 297-298.

A Adriano del Valle (5)

[otoño o invierno de 1934] *

[Tarjeta postal: vista de la Gran Vía de Madrid]

Queridísimo Adriano:

Hace mucho tiempo tengo gana de enviarte un abrazo y hoy aprovecho un rato de buen sol madrileño para mandártelo. Tengo una ilusión grande con ir a Sevilla y a Huelva pronto. Veremos a ver si lo consigo.

No tengo tu libro.

Adiós, Adriano. Te envío un abrazo cariñoso.

FEDERICO

Querido Adriano: Te mando un fuertísimo abrazo en compañía de Federico y de Manolo Díez Crespo. Todos nos acordamos de ti siempre, y te queremos mucho.

Adiós. Un apretón de manos de su gran amigo

JOSÉ CABALLERO

Queridísimo Adriano: Recibe un fuerte abrazo de su buen amigo

M. DÍEZ CRESPO

* Para la fecha sigo a Neurather, *art. cit.*

A Manuel de Falla (21)

[Telegrama]

[Granada, 25 diciembre 1934]

Manuel de Falla, Antequeruela

RECORDANDO VIEJAS NOCHEBUENAS TE ABRAZA CARIÑOSAMENTE FAMILIA GARCIA LORCA

A María Muñoz y Antonio Quevedo

[Membrete:] Granja del Henar

[Madrid, 28 diciembre 1934] *

¡Queridísima María y queridísimo Quevedo!

¡Antes de nada un abrazo!... y ¡cuánto mar!

Ahí va mi íntimo amigo el gran guitarrista Regino Sainz de la Maza. Cuando lo oigáis, podréis notar la única calidad de su arte. Va con su mujer, la encantadora Josefina Serna, hija de la escritora Concha Espina. Espero que será recibido por vosotros *como si fuera yo en persona,* y que no debéis dejarlo pasar por La Habana sin que se le oiga en esa ciudad. Su repertorio es enorme y estoy seguro que quedaréis al menos con la misma admiración y cariño que yo le tengo.

Espero que si me escribís yo contestaré. Si las cosas se arreglan un poco, yo iría a esa isla como os prometí. Así que ¡hasta pronto!

Abrazos cariñosos de vuestro

FEDERICO

Mañana estreno en el Teatro Español.

Cuando llegue la carta... ¡cuánto mar!

* Según M. Hernández, «la carta debió ser escrita el 28 de diciembre de 1934, víspera del estreno de *Yerma* en el Teatro Español... en fechas coincidentes con el viaje de Regino Sainz de la Maza, según éste me indica» (*Trece de Nieve,* núm. cit.).

A Melchor Fernández Almagro (62)

[Madrid, ¿29 de diciembre 1934?] *

Queridísimo Melchorito:

Cuando llegué a recoger las entradas, las habían vendido todas y yo me quedo sin poder dar a mis amigos.

Me entregaron ya los palcos de arriba donde verás a mi familia. Yo pude lograr este palco que te mando.

Estoy disgustado con esto, pero es que el público se echó encima y compró las localidades.

Un abrazo muy fuerte de tu siempre

FEDERICO

* Según G. M. (p. 104), Lorca se refiere al estreno madrileño de *La zapatera prodigiosa,* el 11 de octubre de 1930 [*sic*]. La letra y firma de Federico me hacen sospechar que se trata de un estreno posterior, quizás el de *Yerma* (el 29 de diciembre de 1934). Dejo la carta sin fechar.

A José María de Cossío (4)

[1934 ó 1935] *

Queridísimo José María:

Voy a publicar ya el *llanto* por Ignacio y quiero que lleve un lema tuyo.

Los lleva de Villalón, de Rafael, de Bergamín, y de Aleixandre.

Mándame una línea siquiera y no seas fantasmón ni comedor del exquisito ajonjolí de Eumenia. Hazlo a vuelta de correo. El poema no puede salir sin este requisito.

José María, te mando un abrazo y un beso cariñoso. No te olvides de mí.

FEDERICO

¡No he conocido hombre más bergante que tú!

T/c Alcalá, 102

* Anterior a la publicación de *Llanto* a principios de mayo de 1935.

A Miguel Benítez Inglott (1)

[Madrid, agosto 1935]

Sr. Dn. Miguel Benítez

Queridísimo Miguel: Estoy poniendo a máquina mi libro de Nueva York para darlo a las prensas el próximo mes de Octubre; te ruego encarecidamente me mandes a vuelta de correo el poema Crucifixión puesto que tú eres el único que lo tienes y yo me quedé sin copia. Desde luego irá en el libro dedicado a ti.

Por primera vez en mi vida dicto una carta que está escrita por mi secretario.

Miguel, ten la bondad de ser bueno y mandarme ese poema, porque es de los mejores que llevará el libro. Estoy trabajando mucho, ya terminé Rosita la soltera. Nos veremos pronto por Barcelona. Abrazos y epentismo real.

FEDERICO

Contesta de verdad a Alcalá, 102.

A Miguel Benítez Inglott (2)

Madrid 14 de Agosto de 1935

Querido Miguel:

Hace unos días te escribí una carta rogándote me enviaras mi poema Crucifixión, que guardas tú. Como no he recibido contestación te lo vuelvo a recordar, suplicándote no dejes de hacerlo, pues es de los poemas más interesantes del libro y no quiero que se pierda.

Recibe un abrazo muy fuerte de

FEDERICO

¿Tienes tú también un poema que se llama Pequeño poema infinito?

A Angel Ferrant (2)

[1935?] *

Queridísimo amigo y *colaborador*: Quisiera, si puedes y esto es posible, hicieses el favor de ir modelando las cabecitas. El tiempo se echa encima y yo no quisiera quedar mal con estas gentes de mi vieja Residencia.

La cabeza de Cristóbal es enérgica, brutal, como de la porra.

Currito el del Puerto es joven y de carácter muy melancólico.

Cocoliche es el niño bonito, *el divo.*

El Mosquito es el Puck de Shakespeare, mitad duende, mitad niño, *mitad insecto.*

Fígaro es un Fígaro.

Te ruego que no me olvides y que me digas dónde podríamos realizarlas en cartón.

Espero pronto tus noticias.

Mientras tanto, recibe un abrazo cordial de cariño y de admiración de tu camarada

FEDERICO

Marie Laffranque («Bases cronológicas..., p. 446) data esta carta en la primera mitad de 1935, suponiendo que las marionetas confeccionadas por Ferrant estaban «destinadas, en principio, a una representación de los Títeres de Cachiporra por los estudiantes de la Residencia».

A José Caballero

[¿verano de 1935?] *

Sí, sí, sí, sí.

¡Ay, qué lástima de mi cuadro!

No, no, no, no.

¡Mi cuadro no se terminó!

Comprendo que tienes mucho trabajo y te disculpo.

El día 21 iré a Madrid y allí hablaré con Bergamín. Creo que debes hacer unas ilustraciones sobre *Bodas* [*de sangre*] como te parezcan. Tú *empápate* bien de obra y ya te saldrán.

Luego yo las veré.

Trabaja mucho, macho, mecho y micho.

¡Abrazos! Siempre te quiero. ¡Ay, qué lástima de mi cuadro! Saluda a Pontones como bastones y a [Juan Antonio] Morales.

Abrazos

co
co
[Dibujo: luna llorando:] FEDERI co
co
co
co

¡Ay, mi cuadro!

* Se trata, aparentemente, de que Caballero ilustrara la edición de *Bodas de sangre* que publicó José Bergamín en la editora Cruz y Raya el 31 de enero de 1936. Esta carta podría ser de alrededor del 15 de agosto de 1935, fecha probable de una carta inédita de Caballero a Federico (archivo familiar) en que el pintor le dice que ha hecho ya algunos dibujos sobre *Bodas* y que los enseñará a Federico en cuanto éste llegue a Madrid.

El cuadro podría ser el óleo perdido que Caballero reconstruiría de memoria en 1961 (véase J. L. Cano, *García Lorca, biografía ilustrada,* Barcelona, 1962, p. 119).

Enlazada a la firma de Federico hay una luna que derrama lágrimas sobre las letras de aquélla.

A Joaquín Romero Murube (2) *

Querido Joaquín,
triste y malandrín.
Director del Alcázar
y no Alcazarquivir.
El sábado por la noche
quiero partir;
si no puedo, el domingo,
y no Dominguín.
Ya te avisaré,
ya te avisaré.
Te mando un abrazo
ancho, azul turquí

FE
DERICO

* De fecha incierta. Gallego Morell (*Cartas, postales...*, p. 148) se imagina que es de 1929. Quizás date de la misma época que la carta 3.

A Joaquín Romero Murube (3)
[*fragmento*]

[Membrete:] Restaurant
Casa Pascual
Luna, 16
Madrid

Madrid, 15 enero 1936

¡Ay, Joaquín,
lindo colorín
de Sevilla!

Muestra el transportín
en tu jardín
de maravilla.

[palabras ilegibles]

[Dibujo: payaso]

Queridísimo Joaquín: [...] *

* Un fragmento de esta nota está reproducido en facsímil en el «Número Homenaje a Federico García Lorca» de *ABC*, domingo, 6 noviembre 1966. De esta reproducción se deduce que las rimas «¡Ay, Joaquín...» (etc.), que acompañan al dibujo del payaso, no son sino el *encabezamiento* de una carta, pues al final de la hoja donde se encuentran dichas rimas y dibujo puede leerse claramente: «Queridísimo Joaquín: Aquí», palabras que Gallego Morell omite inexplicablemente.

A Angel Ferrant (3)

[¿1935?] *

Queridísimo Angel: Recibí tus adorables cabecitas. Mil gracias. Son deliciosas de color y de intención. Te ruego que las otras las hagas aproximadamente del tamaño de la de Cristóbal o un poquitín, muy poco, más pequeñas.

La cabeza de Rosita es deliciosa.

Gracias otra vez y tú recibe un abrazo de tu camarada

FEDERICO

¡Delicioso Mosquito!

* Véase la nota a la carta 2 a Ferrant (p. 166).

A un destinatario desconocido

[¿Sevilla, 1932 o 1935?] *

He estado a buscarte, desasiéndome de mil personas. Esta noche te espero de una y media a dos en la Sacristía. Lleva a Antonio Torres Heredia o a Pepita o a la niña de los cuernos. Allí estaré. ¡Calla! No faltes.

FEDERICO

* Esta nota está redactada en un formulario impreso con las palabras «OBSERVACIONES... Sevilla ... de ...... de 193... EL DUEÑO.» La Sacristía era un bar de Sevilla (Higuera Rojas, *op. cit.*, p. 105).

A Adolfo Salazar (4)

[Madrid, primeros de junio, 1936] *

[En el sobre:]
Señorito musiquito *(Urgente)*
Adolfito Salazar,
de su amigo
Federico

Queridísimo Adolfo:

Me voy dos días a Granada para despedirme de mi familia. Como me voy en auto, por eso ha sido la cosa precipitada y nada te dije.

Me gustaría que si tú pudieras, y sin que lo notara Bagaría, quitaras la pregunta y la respuesta que está en una página suelta escrita a mano, página 7 (bis), porque es un añadido y es una pregunta sobre el fascio y el comunismo que me parece indiscreta en este preciso momento, y además está ya contestada antes. Así es que tú la quitas y luego como si tal cosa. No conviene que se entere nadie de esto, pues sería fastidioso para mí.

Abrazos.

FEDERICO

* Debe datar de primeros de junio de 1936: la entrevista con Bagaría («Diálogos de un caricaturista salvaje», véase O. C. II, 1123-8) fue publicada en *El Sol* el día 10 de aquel mes y año.

A José Bergamín (3)

[Madrid, primeros de julio 1936] *

¡Querido Pepe!

He venido a verte y creo que volveré mañana. Abrazos de

FEDERICO

* Según M. Auclair, José Bergamín encontró esta nota en su despacho de *Cruz y Raya* el día 14 0 15 de julio de 1936 (*op. cit.*, p. 431). Pero Ian Gibson ha demostrado que García Lorca llegó a Granada en la mañana del 14 de julio (*Granada en 1936 y el asesinato de García Lorca,* Barcelona, 1978, páginas 46-47). Confirma definitivamente esta fecha una carta de la madre del poeta citada por Mario Hernández en su introducción al libro de Francisco García Lorca (*op. cit.*, p. XXVI).

y el comentario que me parece indiscreto en este preciso momento, y además está ya contestado antes. Así es que tú lo quitas y luego como si tal cosa. No conviene que se entere nadie de esto, pues sería fastidioso para mí.

Abrazos

FEDERICO

* Debe datar de primeros de junio de 1936; la entrevista con Bagaría («Diálogos de un caricaturista salvaje», véase O. C., II, 1113-8) fue publicada en *El Sol* el día 10 de aquel mes y año.

A José Bergamín (3)

[Madrid, primeros de julio 1936] *

¡Querido Pepe!

He venido a verte y creo que volveré mañana. Abrazos de

FEDERICO

* Según M. Auclair, José Bergamín encontró esta nota en su despacho de *Cruz y Raya* el día 14 ó 15 de julio de 1936 (op. cit., p. 451). Pero Ian Gibson ha demostrado que García Lorca llegó a Granada en la mañana del 14 de julio (*Granada en 1936 y el asesinato de García Lorca*, Barcelona, 1976, páginas 43-47). Confirma definitivamente esta fecha una carta de la madre del poeta citada por Mario Hernández en su introducción al libro de Francisco García Lorca (op. cit., p. XXVI).

PROCEDENCIA DE LAS CARTAS

A un amigo de Barcelona

Este fragmento, que Arturo del Hoyo imprime con las cartas a Sebastián Gasch (*O. C.* II, 1348), fue publicado por G. Díaz Plaja en *Federico García Lorca* (Madrid: Espasa-Calpe, 1961), 3.ª ed., p. 52. Según Díaz-Plaja está fechado en abril de 1927.

A Enrique Amorim

Está reproducida en Hortensia Campanella, «Profeta en toda tierra. Federico García Lorca, en Uruguay», *Insula,* número 384 (noviembre 1978), p. 10.

A Olegario Arbide

Copio el texto de Marie Laffranque, «Quelques billets de F. G. L.», *Bulletin Hispanique,* t. LXV, núms. 1-2 (enero-junio 1963), p. 136.

A Miguel Benítez Inglott y Aurina

Sigo el texto reproducido en facsímil en F. G. L., *Crucifixión,* notas de Miguel Benítez Inglott, *Planas de poesía,* IX, Las Palmas, 1950.

A José Bergamín

Copio el texto de las cartas 1 y 2 de *Cartas, postales, poemas y dibujos,* pp. 151-2. La carta 3 fue publicada en facsímil en Marcelle Auclair, *Enfances et mort de F. G. L.* (París: Editions du Seuil, 1968) entre pp. 408 y 409.

A José Caballero

Fue publicada por Gallego Morell en *Cartas, postales, poemas y dibujos,* p. 155. Corrijo el texto de acuerdo con las notas de Mario Hernández sobre el original.

A José María de Cossío

Fueron publicadas por Eutimio Martín en «La actitud de Lorca ante el tema de los toros a través de cuatro cartas a José María de Cossío», *Insula,* núm. 322 (septiembre 1973), p. 3. He cotejado este texto con fotocopias de las cartas 2, 3 y 4.

A Addie Cummings

No he podido localizar el original, y cito la traducción inglesa de Milddred Adams, en *García Lorca: Playwright and Poet* (Nueva York: George Braziller, 1977), pp. 113-114.

A Philip Cummings

Copio el texto publicado por Daniel Eisenberg en *Songs* (traducción inglesa de *Canciones,* hecha por Philip Cummings), Pittsburgh, Duquesne University Press, 1976.

A José María Chacón y Calvo

Fueron públicadas en Zenaida Gutiérrez-Vega, *José María Chacón y Calvo* (Madrid: Instituto de Cultura Hispánica, 1969), pp. 47-8, 51-2 y 95. Las cartas 1 y 2 están reproducidas en facsímil en dicho libro, lo que me permite hacer alguna corrección textual.

A Ana María Dalí

Estas nueve cartas (guardadas por Ana María Dalí, Cadaqués, Gerona) fueron publicadas, la mayoría de ellas por primera vez, en F. G. L., *Cartas a sus amigos* (Barcelona: Ediciones Cobalto, 1950), pp. 69-82.

Varias cartas han sido reproducidas en facsímil: en *Salvador Dalí visto por su hermana* (Barcelona: Editorial Juventud, 1949) aparece la carta 4 (entre pp. 120 y 121) y la carta 8 (entre pp. 128 y 129). En Antonina Rodrigo, *García Lorca en Cataluña* (Barcelona: Planeta, 1975) se reproduce un fragmento de la carta 1 (p. 51).

Dichas reproducciones dejan ver lo poco satisfactorio que es el texto de la edición Cobalto. He podido cotejar la serie entera con las fotocopias que me manda amablemente Ana María Dalí. No me ha sido posible ver el artículo de Joseph Velasco, «Contribution a l'étude de la correspondance de F. G. L.», *Annales Universitaires*, Avignon, núm. 2 (noviembre 1975), artículo que dice seguir Arturo del Hoyo en la ordenación de estas cartas en la 21.ª edición de las *Obras completas* (véase vol. II, p. 1582).

A un destinatario desconocido

Copio el texto publicado en facsímil en Eulalia-Dolores de la Higuera Rojas, *Mujeres en la vida de García Lorca* (Editora Nacional-Excma. Diputación Provincial de Granada, 1980), p. 100.

A Enrique Durán

La carta está reproducida en facsímil en *Obras*, revista de la Empresa Agromán, Madrid, 1977, p. 34.

A Manuel de Falla

Las cartas 1, 2, 3, 6, 7, 8, 10, 13 a 16 y 18 fueron publicadas por primera vez en Antonio Gallego Morell, *Cartas, postales, poemas y dibujos*, pp. 107-13, con una reproducción en color de la carta 6.

La carta 5 fue publicada en facsímil en F. G. L. *Dibujos y documentos* (Granada: Galería de Exposiciones del Banco de Granada, marzo-abril 1977).

La carta 17 está publicada en facsímil en Manuel Orozco, *Falla. Biografía ilustrada* (Barcelona: Ediciones Destino, 1968), p. 111.

La carta 4 fue publicada en facsímil por Mario Hernández en su artículo «García Lorca y Manuel de Falla: una carta y una obra inéditas», *El País* (Madrid), 24 de diciembre de 1977, suplemento Arte y Pensamiento, p. IV.

Las cartas 9, 11, 12, 19, 20 y 21 son rigurosamente inéditas. Las transcribo de fotocopias procedentes del archivo de Mario Hernández.

He utilizado, para corregir el texto de las cartas a Falla, fotocopias de todas, menos de la 3 y la 18.

A su familia

El fragmento 2 apareció en Francisco García Lorca, *Federico y su mundo* (Madrid: Alianza, 1980), p. xxiv. El tercer fragmento proviene del mismo libro, p. xxv. Para la carta 4, sigo el texto publicado por Miguel García-Posada en *Trece de Nieve*, 1/2, 2.ª ed. (diciembre 1976), páginas 59-61. Nuestra carta 5 parece ser un fragmento de una carta escrita durante la visita de Lorca a Cuba en la primavera de 1930. Copio del dorso de una fotografía que se guarda en el archivo familiar.

A Melchor Fernández Almagro

Publicadas, por vez primera, en Antonio Gallego Morell (ed.), *Cartas, postales, poemas y dibujos,* pp. 39-104. En dicha obra están reproducidas en color fragmentos de las cartas 36 y 57, y cartas 47 y 14 *in toto.* La carta 28 fue publicada en facsímil como tarjeta de Navidad por el Sr. Joan Cendrós y familia (Barcelona, diciembre de 1967).

He podido cotejar el texto impreso de casi todas las cartas con fotocopias de los originales. *No* me ha sido posible conseguir fotocopias de las cartas 27, 44, 46 y 48.

A Angel Ferrant

La carta 1, de fecha incierta, se publicó en Marie Laffranque, "Quelques billets de Federico García Lorca», *Bulletin Hispanique,* t. LXV, núms. 1-2 (enero-junio 1963), página 136.

Las cartas 2 y 3 fueron publicadas en *Cartas a sus amigos*, pp. 87-8.

A Concha e Isabel García Lorca

Esta carta inédita, conservada en el archivo familiar, está redactada en ambos lados de un trozo de la corteza de un abedul.

A Isabel García Rodríguez

Sigo la transcripción de Mario Hernández, de un original inédito en el archivo de la familia García Lorca.

A José García Rodríguez

Tarjeta inédita, procedente del archivo familiar.

A Sebastián Gasch

Para las cartas 2 y 14 copio de M. Laffranque, «Quelques billets de F. G. L.», *Bulletin Hispanique* LXV (1963), página 134. Para los fragmentos sigo a Guillermo Díaz-Plaja, *Federico García Lorca, su obra e influencia en la poesía española* (Madrid: Espasa-Calpe, 1961), 3.ª ed., páginas 51-2, 158 y 171. Para el texto de las demás cartas sigo el texto de *Cartas a sus amigos*, pp. 21-47.

He podido cotejar el texto de algunas de estas cartas con reproducciones en facsímil. Toda la carta 21 está reproducida en *Cartas a sus amigos*, pp. 43-4. Las cartas 3 y 14 se reproducen en Antonina Rodrigo, *García Lorca en Cataluña* (Barcelona: Planeta, 1975), pp. 113 y 240. Un facsímil de la carta 1 aparece en la p. 209 de A. Rodrigo, *Lorca-Dalí, una amistad traicionada* (Barcelona: Planeta, 1981).

A Alberto González Quijano

Publicada por Marcelle Auclair en *Vida y muerte de Federico García Lorca,* México, 1972, p. 238.

A Juan Guerrero Ruiz

Las cartas 1 y 2 fueron publicadas por Jacques Comincioli, F. G. L., *Textes inédits et documents critiques* (Lausanne: Rencontre, 1970), pp. 230-3. Sigo a Comincioli para la carta 1, y a una fotocopia para la carta 2. La carta 3 procede de *Cartas a sus amigos,* p. 91, con facsímil en la página 92. Para la historia sexual de la *Degollación del bautista, véase Comincioli,* pp. 98-107 y *O. C.* II, pp. 1548-9.

A Jorge Guillén

Las cartas a Jorge Guillén se conservan en la Widener Library (Houghton Reading Room) de la Universidad de Harvard, Cambridge, Massachusetts. Llevan la signatura 60M-12 (942).

Estas cartas, y las de Guillén a Lorca, fueron publicadas en su totalidad en J. G., *Federico en persona. Semblanza y epistolario* (Buenos Aires: Emecé Editores, 1959). Según Arturo del Hoyo (*O. C.*, II, p. 1580) algunas salieron en *Inventario,* Milán, año III, núm. I (primavera, 1950); *Cuadernos del Congreso para la Libertad de la Cultura,* París, núm. 20 (1956); y *Europa Letteraria,* Roma, octubre 1960.

He utilizado, a la hora de corregir la ya excelente transcripción de Guillén, una fotocopia de la serie entera.

A Miguel Hernández

Sigo el texto publicado por Marie Laffranque («F. G. L., Lettre a Miguel Hernández») en el *Bulletin Hispanique,* LX (1958), p. 383.

A Juan Ramón Jiménez

Copio del texto publicado por Antonio Gallego Morell, *Cartas, postales, poemas y dibujos,* edición citada, p. 117.

A Ezio Levi

Publicada en *O. C.* II, 1383-4 por Arturo del Hoyo, cuyo texto sigo.

A Encarnación López Júlvez, «La Argentinita»

Publicada por Mario Hernández en *Trece de Nieve,* edición citada, p. 65, con un comentario (pp. 65-6). Se reproduce en color.

A Carlos Morla Lynch

Al no poder obtener fotocopias, he tenido que seguir los textos impresos siguientes:

Las cartas 2, 3, 6, 7, 8 y 10 fueron publicadas en Carlos Morla Lynch, *En España con Federico García Lorca* (Madrid: Aguilar, 1957), pp. 43-4, 73-5. Las cartas 1, 6, 11 y 13 fueron publicadas por André Belamich en *El Tiempo* (Bogotá) del 23 de octubre de 1960 («Cartas inéditas [sic] de García Lorca»).

Las cartas 1, 5, 6, 11, 12 y 13 fueron publicadas por Belamich en «Cartas inéditas de García Lorca», *Insula,* número 162 (mayo de 1960), p. 1.

La carta 4 fue editada en facsímil por Mario Hernández en *Trece de Nieve,* 1/2, Segunda época (diciembre 1976), pp. 55-8.

A María Muñoz y **Antonio Quevedo**

Publicada en facsímil en *Charlas y Conferencias,* La Habana, 1961, y reproducida por Mario Hernández en *Trece de Nieve,* 1/2, Segunda Epoca, diciembre 1976, 2.ª ed., página 71.

A Federico de Onís

El telegrama fue publicado por Daniel Eisenberg, «*Poeta en Nueva York*»*: historia y problemas de un texto de Lorca* (Barcelona: Ariel, 1976, p. 197).

La carta 2 fue publicada en facsímil en *Federico García Lorca (1899-1936),* Nueva York: Hispanic Institute, 1944, página 110.

A Ramón Pérez de Roda

Reproducida en facsímil en Eduardo Molina Fajardo, «Lorca inédito: un soneto a Falla, dos dibujos, una carta», *La Estafeta Literaria,* núm. 456 (15 noviembre 1970), páginas 4-5.

A Manuel Pérez Serrabona

Sigo el texto de *Cartas, postales, poemas y dibujos,* página 137.

A Cipriano Rivas Cherif

El texto procede de Gregorio Prieto, *Lorca y la generación del 27* (Madrid: Biblioteca Nueva, 1977), p. 54, con reproducción en facsímil, p. 53.

A Angel del Río

Sigo el texto publicado en la *Revista Hispánica Moderna,* núms. 3-4 julio-octubre 1940), p. 314.

A Rogelio Robles Romero-Saavedra

Texto facilitado por Mario Hernández.

A Joaquín Romero Murube

La carta 1 fue reproducida en facsímil en Joaquín Romero Murube, «Una variante en el "Romancero Gitano"», *Insula,* núm. 94 (15 octubre 1953), p. 5. Gallego Morell imprime las tres cartas en *Cartas, postales, poemas y dibujos,* edición citada, pp. 145-8. Para el texto del romance sigo los fragmentos reproducidos en *Insula,* y el texto publicado en *Mediodía,* núm. 7, Sevilla, 1927, pp. 6-7.

A Víctor Sabater

Copio el texto reproducido en facsímil por Antonina Rodrigo en *Lorca-Dalí: una amistad traicionada* (Barcelona: Planeta, 1981), p. 181.

A Regino Sainz de la Maza

Las cartas 1 a 6 se publicaron en Antonina Rodrigo, *García Lorca en Cataluña* (Barcelona: Planeta, 1975), pp. 154-161. Las cartas 7 y 8 fueron dadas a conocer por Mario Hernández en *Trece de Nieve* 1/2, Segunda Epoca, 2.ª edición (diciembre de 1976), pp. 67 y 237-8, quien, asimismo, reprodujo en color el dibujo de la carta 7 (tapa de detrás). La carta 2 se reproduce en facsímil en Antonina Rodrigo, *op. cit.*, p. 159.

A Adolfo Salazar

Las cartas 1, 2 y 4 fueron publicadas, con comentario prolijo, por Mario Hernández en *Trece de Nieve* 1/2, Segunda Epoca, diciembre 1976, pp. 51-54, versión que he cotejado con fotocopias de los originales.

A Guillermo de Torre

Fueron publicadas en F. G. L., *Cartas a sus amigos* (Barcelona: Ediciones Cobalto, 1950), pp. 51-65. Las cartas 1, 2 y 4 están reproducidas en facsímil (pp. 52-53, 55-6 y 59. El editor asigna fechas a algunas de estas cartas (p. 66), pero sin decirnos en qué evidencia se basa.

A Adriano del Valle

Las cinco cartas se conservan en la Sala de Manuscritos de la Biblioteca Nacional de Madrid (Ms. 21693, olim NA [no accesible] 180). Utilizando estos autógrafos, hemos podido corregir varios errores de transcripción.

Las cartas fueron publicadas por vez primera en Robert Marrast, «Cinco cartas inéditas de F. G. L.», *Insula,* números 228-9 (noviembre-diciembre 1965), p. 13. La cronología propuesta por Marrast fue discutida por Heide Neurather en «A propósito de "Cinco cartas inéditas de Federico G. L."», *Insula,* núm. 259, p. 7.

A Jorge Zalamea

Fueron publicadas, algunas fragmentariamente, en «Epistolario de García Lorca», *Revista de las Indias* (Bogotá),

I, núm. 5, (1937), pp. 23-5, cuyo texto sigo. No es nada fácil ordenar estas cartas, todas las cuales, aparentemente, datan de finales de verano y de otoño de 1928. Es posible que Lorca haya escrito a Zalamea otras cartas, no publicadas todavía, que formaran parte de esta misma serie. De todos modos, pongo lo que ya está publicado en el orden más verosímil.